15,01

Musc

Percy Kemp

Musc

Uit het Frans vertaald door Marianne Kaas

UITGEVERIJ DE GEUS

De vertaalster ontving voor deze vertaling een projectwerkbeurs
van de Stichting Fonds voor de Letteren

Oorspronkelijke titel *Musc*, verschenen bij Albin Michel
Oorspronkelijke tekst © Éditions Albin Michel s.a. , Parijs 2000
Nederlandse vertaling © Marianne Kaas en Uitgeverij De Geus bv,
Breda 2002
Omslagontwerp Uitgeverij De Geus bv
Foto auteur © Emmanuel Bovet
Lithografie TwinType, Breda
Druk Koninklijke Wöhrmann bv, Zutphen

ISBN 90 445 0107 0
NUR 302

Musc

1

Zelfs wanneer Meneer Em zijn polshorloge de avond tevoren gelijkzette, kreeg het het altijd weer voor elkaar om door ietsje te snel of ietsje te langzaam te tikken de volgende ochtend ietsje voor of achter te lopen. Het leek wel of dat horloge pertinent weigerde zich te voegen naar de willekeur van het volle uur van zestig door de conventie vastgestelde minuten. Meneer Ems horloge was niet zo'n modern kwartshorloge dat niet alleen de tijd aangeeft maar bovendien tracht digitaal de plaats van de Tijd in te nemen. Het was een traditioneler vormgegeven horloge, met een echt mechaniek dat geluid maakte en trilde. Een horloge in gang gebracht door de bewegingen van degene die het droeg, en dat zich evenals de drager bepaalde vrijheden veroorloofde met de tijd die verstrijkt. Het was dus een analoog horloge. Het vertegenwoordigde de tijd, meer dan dat het er de dwang van oplegde. Het verhield zich tot het kwartshorloge zoals de vadem tot de meter: *bij benadering* een meter zestig – of, aan de overzijde van het Kanaal, *bij benadering* een meter tachtig. En toch, ondanks de onnauw-keurige weergave van de tijd, was het horloge van Meneer Em een kwaliteitsproduct. Het was een horloge met alarm, voorzien van minuscule hamertjes die, door heel zachtjes tegen de binnenkant van de kast te slaan, als wekker fun-geerden. Negentien jaar geleden had hij het gekregen van zijn collega's van de Piscine, de Franse contraspionage, toen hij met pensioen was gegaan na vijfentwintig jaar under-cover te hebben gewerkt bij de UICF, de Internationale Unie van Spoorwegen, als blijk van erkentelijkheid voor zijn bijdrage aan het bestuderen van het Sovjetrussische spoorwegnet en de strategische implicaties daarvan. Hoe-wel Meneer Em wel eens dacht dat de erkentelijkheid van de dienst jegens hem minder te maken had met zijn succes-sen bij de UICF dan met zijn besluit met vervroegd pen-sioen te gaan en zo plaats te maken voor jonge mensen. Hoe het ook zij, niettegenstaande het verfijnde mechaniek en zijn hamertjes, die edelsmeedwerk waren, lukte het dit horloge werkelijk niet zich te voegen naar het ronde uur. Niet dat Meneer Em dat nu zo bijzonder vreemd vond. Al met al was het een horloge dat bedoeld was als herinnering aan een carrière bij de spoorwegen. Wel, zoals bekend zijn er veel meer treinen van *zes uur achtenvijftig* en van *elf uur een* dan van *zeven uur* of *elf uur*.

Die ochtend was het dus negen uur één toen de hamertjes in beweging kwamen, het horloge van Meneer Em begon te trillen en hij de langwerpige kroon voelde kriebelen aan zijn pols. Meneer Em stond op, ging de luiken opendoen, keek naar de hemel, die die dag fraai blauw was zoals paste bij het jaargetijde, en stak een middelvinger op in de richting van de begraafplaats du Montparnasse onder zijn raam, die er vredig bij lag, alsof daar de godsvrede was ingesteld terwijl overal rondom de onroerendgoedoorlog woedde. Al twaalf jaar maakte Meneer Em stipt elke ochtend met veel aplomb dat gebaar, in de richting van de begraafplaats. Sinds de dag, in feite, waarop hij was uitgegleden op een nat trottoir, languit onder de 82 was beland en vlak voor zijn neus de vooras van de bus had zien opduiken. De eerste keer had Armand Em spontaan, en absoluut niet met voorbedachten rade, zijn middelvinger omhooggestoken. En trouwens, toen het gebaar hem die eerste maal als het ware was ontglipt, toen had hij gelachen, zo onthutst was hij geweest bij de gedachte dat hij zich tot zulk hufterig gedrag had verlaagd, en beschaamd ook, door het al met al toch heiligschennende aspect ervan. Waarna hij uiteraard om vergeving had gevraagd, zowel aan God als aan zijn vader, die, ja inderdaad, op dat kerkhof begraven lag. Toch had hij de volgende ochtend zijn gebaar herhaald. Met voorbedachten rade dit keer, zij het niet zonder een zekere aarzeling en niet zonder van tevoren goed te hebben gekeken, eerst naar links, toen naar rechts, om zich ervan te vergewissen dat niemand zijn trouwbreuk zou opmerken. En al spoedig werd dit gebaar, dat in wezen geen pas gaf voor iemand zoals hij — zelfs in de puberteit had hij zoiets wel uit zijn hoofd gelaten —, een uiterst belangrijk moment in zijn ochtendroutine. Een gentleman, dat is bekend, is alleen met opzet onbeschoft, en Armand Em was een gentleman. En hij was met opzet onbeschoft. Al ruim twaalf jaar. Altijd begon Meneer Em dus zijn dag met die middelvinger die even onbillijk was als niet te billijken en waarmee hij zich, met de theatraliteit een Duce waardig, richtte tot doden die absoluut niets terug konden doen. Het was Meneer Ems manier om te zeggen: Hiep, hiep, hoera, we leven nog! Want Meneer Em was een vechter.

Dat gebaar in de richting van de begraafplaats du Montparnasse was de eerste vitaliserende handeling waarmee Meneer Ems dag begon. Het was de eerste, maar niet de laatste. Eigenlijk was het de katalysator voor zijn volgende programmapunt, een reeks oefeningen behorend tot de zogenaamd Zweedse gymnastiek, die hij voor zijn geopende raam uitvoerde, want een mens moest in vorm blijven. Hij spande zich trouwens beslist niet overdreven in. Niet meer dan een paar rek- en strekbewegingen om zijn spieren soepel en zijn lichaam lenig te houden. En het resultaat mocht er zijn. Hij was al ruim negenenzestig, maar nog steeds nam hij de tráp naar zijn appartement op de vijfde verdieping, en nog steeds kon hij zonder geknars of gekraak met de platte handen de grond aanraken. Zeven uur slaap als regel – soms een paar minuten meer, soms een paar minder, inderdaad, gezien de grillen van zijn horloge –, lichaamsbeweging met mate, en een matig gebruik van alcohol en tabak maakten dat Meneer Em ondanks de jaren nog altijd in vorm was en nog steeds goed in zijn vel zat. Want al hield Meneer Em dan van het leven – getuige zijn dagelijkse middelvinger naar de begraafplaats –, zijn gezondheid ging hem nog meer ter harte. Het was niet zozeer zijn streven om de dood uit te stellen maar meer om hem goed geconserveerd en als zijn oude zelf tegemoet te treden. Het was zijn wens dat zijn dood niet de vorm zou krijgen van een meetbaar en stapsgewijs toegroeien naar een sterfdrempel die daarvan slechts de laatste etappe zou zijn, maar meer op een sprong zou lijken, een sprong die dezelfde graad van abruptheid als van kwaliteit zou hebben. Misschien niet een even gewelddadige en brute sprong als waartoe zijn ontmoeting met de 82 had kunnen leiden en als de dood van zijn vader was geweest, en zeker niet een sprong die zo'n smeerboel gaf, maar toch wel een sprong. Tegen een hartinfarct, het eerste en meteen het laatste, had hij geen bezwaar gehad. Maar een hartaanval met dodelijke afloop komt niet op bestelling. Zelfs niet bij iemand die de genen van een aan emfyseem gestorven grootvader in zich droeg, en zelfs niet wanneer iemand drie sigaretten rookte na het ontbijt, drie na de lunch en nog drie 's avonds na het eten. Toch hield Meneer Em 's morgens bij het aankleden, en alle avonden als hij thuiskwam en ging slapen, nauwgezet rekening met de mogelijkheid. Als hij op straat zou worden geveld door zo'n infarct, kon er geen sprake van zijn dat ze, als ze hem in het lijkenhuis zijn schoenen uittrokken, een gestopte sok zouden aantreffen, laat staan een sok met een gat. En als hij in zijn slaap zou sterven, was het al helemaal ondenkbaar dat hij in een vuile of versleten pyjama zou worden gevonden. Meneer Em was een keurige man.

Nadat hij zich had geschoren, gedoucht en drooggewreven liep hij in ochtendjas zijn badkamer uit en begaf zich voor het dagelijks ritueel van het aankleden naar zijn kleedkamer, een vertrek dat eertijds door zijn vader als slaapkamer was gebruikt. Eerst pakte hij een rood-wit gestreept katoenen overhemd met een harde boord en dubbele manchetten, en een onderbroek gemaakt van dezelfde poplin, door dezelfde hemdenmaker in de rue de Rennes. Daarna koos hij met zorg een zijden das bedrukt met een petrolblauw kasjmiermotief, en zocht lange sokken uit in een tint waarin het petrol terugkwam: de sokken van Meneer Em kleurden altijd bij zijn das, of bij zijn overhemd, nooit bij zijn broek. Wat de schoenen betreft aarzelde hij even of hij molières van glad kastanjebruin kalfsleer zou aantrekken, of een paar zwarte. Toen, ter ere van deze prachtige lentedag, bepaalde hij uiteindelijk zijn keuze op het kastanjebruin, dat minder vormelijk was. Tot slot haalde hij uit de hangkast een donkergrijs prince-de-galles-pak te voorschijn, met bordeauxrode bretels die al aan de broek hingen. Nadat hij zijn buit op de divan had gelegd, zette hij zich aan de taak van het aankleden. Eerst de onderbroek, dan de sokken en schoenen, daarna het overhemd, de manchetknopen en de baleinen — en, die ochtend, de magere dasknoop die het best past bij een harde boord —, vervolgens de broek met omslagen en tot slot het enkelrij-jasje. Precies goed voor een dag in de stad, niet te weinig en ook niet té gekleed. Want Meneer Em lette er altijd op dat hij niet overdreef. Hem zouden ze niet om elf uur 's morgens aantreffen flanerend over de boulevard du Montparnasse in een double-breasted gestreept kamgaren kostuum met een broek zonder omslagen. En al helemaal niet met een zijden pochet. Meneer Em was een elegant man.

Toch was Meneer Em beslist nog niet klaar met zijn toilet. Zelfs al stak hij nu in de kleren en zelfs al was hij niet van plan meteen het huis uit te gaan, wilde hij werkelijk helemaal klaar zijn met aankleden, dan moest nog de finishing touch worden aangebracht. Dus als hij oog in oog stond met zijn spiegelbeeld, deed Meneer Em elke ochtend, geen enkele uitgezonderd, zijn eau de toilette op. Altijd dezelfde, al een jaar of veertig. Nooit liet Meneer Em na te eindigen met die geurige noot. Trouwens, het was niet toevallig dat zijn eau de toilette in zijn kleedkamer stond en niet in zijn badkamer. Deze eau de toilette, de benaming ten spijt, maakte een integraal deel uit van zijn kledingarsenaal en niet van zijn toiletartikelen. Als hij er eenmaal zijn wangen en kleren royaal mee had gedept, schroeide het parfum hem dicht, in zekere zin, zoals een fel vuur een stuk rood vlees zou dichtschroeien, en het was of hij daardoor opeens de man uit één stuk werd die hij tot dat moment niet was geweest. Het parfum omhulde hem, fungeerde als een soort beschermende bovenlaag, maakte het bewegen van zijn lichaam breder en bakende de contouren van zijn zo niet visuele dan toch sensuele uitstraling af. Hoe het ook zij, zonder zijn parfum zou Meneer Em zich naakt hebben gevoeld.

Die ochtend maakte hij dus het bodempje op dat nog over was in de flacon, en brak een andere aan die hij zich voor de zekerheid al een week geleden had aangeschaft. De eau de toilette was dezelfde, en toch waren de flacon en de verpakking anders. De nieuwe flacon, die glad was, plat, gestileerd, eerder van plastic leek dan van kristal, was aangepast aan de heersende mode en Meneer Em dacht bij zichzelf dat de fabrikant vast zo'n snelle marketingjongen had ingehuurd die waarschijnlijk een nieuwe, jongere doelgroep op het oog had. En hij dacht ook dat hij verre de voorkeur gaf aan de oude fles, die lichter, gewelfder was en zo prettig in de hand lag. Want Meneer Em was een gewoontemens.

Toen hij wat van deze eau de toilette in zijn holle hand wilde gieten, kwam er onverhoeds een flinke scheut. De fabrikant wilde kennelijk het verbruik stimuleren en had de nieuwe flacon inderdaad voorzien van een doseerdop die veel minder zuinig was dan de vorige. Dit ergerde Meneer Em bovenmate. Niet alleen vanwege het idee dat zijn leverancier, die hem veertig jaar lang zijn eigen ritme had laten bepalen, nu probeerde zijn verbruik in banen te leiden, maar ook omdat hij, gezien de warmte die voor die dag was voorspeld, zich niet al te overdadig had willen parfumeren – zoals iedereen weet wordt de geursterkte van een eau de toilette door hoge temperaturen vertienvoudigd. Maar aangezien hij tegen verspilling was, voegde hij zich uiteindelijk naar de eisen van de fabrikant en besprenkelde overvloedig zijn gezicht en kleren terwijl hij zich voornam in het vervolg beter op te letten.

Toen hij na het aanbrengen van deze finishing touch pas echt helemaal gekleed was, bekeek Meneer Em zichzelf in zijn spiegel en vond dat hij beslist een ruim voldoende verdiende. Zeker, een objectieve beschouwer – een vroegere vlam of een kennis die hij uit het oog had verloren – zou zeker gezegd hebben dat Meneer Em sterk was verouderd. Maar zelf zag hij niets wat daarop wees. Hij was nooit getrouwd geweest en bezat kinderen noch kleinkinderen die, doordat ze opgroeiden, hem eraan zouden herinneren dat de tijd niet stilstond. Zeker, zijn haar dat vroeger zo mooi zwart was geweest, was nu een stuk grijzer en dunner, maar het hoofddeksel dat hij meestal droeg bedekte dat met de mantel der liefde, zowel voor de anderen als voor Meneer Em zelf. Zeker, zijn rug was niet meer zo recht, maar de kleermaker van Meneer Em verstond als geen ander de kunst deze kleine ongerechtigheid vaardig te camoufleren door een trucje uit te halen met de snit van zijn jasjes. Zeker, zijn middel was met de jaren wat uitgedijd, maar zijn pantalons met bretels lieten hem nog een ruime mate van bewegingsvrijheid. Immers, zoals iedereen weet, pas wanneer de broeken in de taille beginnen te knellen, is iemand niet langer wat hij geweest is, en de broeken van Meneer Em hadden het voordeel een model zonder taille te zijn. Zeker, zijn gezicht, hoewel nog altijd innemend, was gerimpeld en de huid in zijn magere hals hing los, maar daarop sloeg Meneer Em geen acht. Hij zag alleen de heldere blik in de blauwe ogen en de frisse gelaatskleur: gezondheid, daar draaide het om. Eerlijk gezegd, hoeveel aandacht en zorg hij voor het overige ook aan zijn uiterlijk besteedde, Meneer Em zag zichzelf nooit in detail. Hij zag alleen het totaalbeeld, en wanneer hij naar zichzelf keek in een spiegel – zoals hij veelvuldig deed –, zag hij vooral een houding en een voorkomen die imponeerden, de uiterst bevallige en nonchalante manier van gaan en staan die de zijne was. Ontegenzeglijk, zijn benen waren niet langer die van een twintigjarige, en misschien was zijn tred af en toe wat onzeker. Het oude litteken van de wond waarmee hij uit Indo-China was teruggekomen, speelde steeds vaker op. En toch zag Meneer Em daarin geen alarmsignaal dat hem op het voortschrijden der jaren attendeerde. Voor hem was er geen sprake van droge gewrichtsontsteking noch van artrose noch van reumatiek.

En zelfs al had hij de pijn in zijn been in verband gebracht met de gebreken die komen met de ouderdom, dan was er altijd nog zijn eeuwige paraplu om hem tot steun te dienen en hem te helpen zichzelf voor de gek te houden.

In een grijs verleden, toen hij in een regenachtige februarimaand bij de UICF was gekomen om er in het verborgene zijn vak van spion uit te oefenen, had hij zich aangewend zich met die paraplu te wapenen. Het was een paraplu van hout, waarvan het scherm keurig netjes was opgerold rond zijn lange baleinen. Meneer Em stak hem trouwens nooit op, het was hem vooral te doen om de fraaie welving als het ding ingepakt was. Destijds had Meneer Em, als verklaring van deze eigenaardigheid, aangevoerd dat een paraplu even overbodig was bij motregen als ondoeltreffend bij een stortbui. Hij is hoogstens bruikbaar, had hij ook nog gezegd, om een illegale taxi aan te houden. Langzamerhand was de paraplu in zekere zin het handelsmerk van Meneer Em geworden, aan die paraplu konden zijn collega's zien dat hij op kantoor was. Zodat hij uiteindelijk, ook toen het al zomer was, zich nooit meer zonder zijn paraplu had vertoond. Ook later was dit zo gebleven, en nu kwam dat kokette trekje hem goed van pas om het beeld dat hij van zichzelf had te versterken. Want al was die paraplu in de loop der jaren veranderd in wandelstok, voor Meneer Em was het ding nu net zomin een wandelstok als vroeger een paraplu. Geheel onbewust, en zonder iets aan zijn imago te veranderen, had hij het voorwerp eigenlijk opnieuw een fagocytose laten ondergaan door het ten tweeden male zijn oorspronkelijke functie te ontnemen. De schijn was gered, en trouwens, Meneer Em had niets in de gaten. Hij was een beetje ijdel, dat moet gezegd.

2

Zo gekleed, en gewapend met zijn paraplu en met zijn grijze fedora-panama op het hoofd, begroette Meneer Em Mevrouw Cécile, zijn werkster, en ging de deur uit. Hij sloeg linksaf, de boulevard Edgar Quinet in, liep of liever slenterde over het pleintje en daarna door de rue Delambre, tot aan de boulevard du Montparnasse, negeerde Le Dôme en La Coupole hoewel dat toch de cafés waren waar hij het eerst langskwam, wachtte met het oversteken van de boulevard tot de auto's stilstonden bij het driekleurige stoplicht en duwde de deur van La Rotonde open. Toen hij binnen stond klonk het van verscheidene kanten dagmeneer-Em, waaruit bleek dat hij hier stamgast was.

Zijn tafel was vrij en dat deed hem om twee redenen deugd: ten eerste omdat geen enkele andere klant de behoefte had gevoeld er te gaan zitten, en dat had de gewoontemens die hij was graag. In de tweede plaats omdat Eve er nog niet was, en dat zag de heer die hij was graag.

Eve kwam een paar minuten later, net toen Meneer Ems grote kop koffie met melk en zijn brood met boter werden gebracht, en hij stond meteen op om haar te begroeten. Eve was al twaalf jaar zijn minnares, maar hij had het zichzelf ernstig kwalijk genomen als hij, doordat hij op zo vertrouwde voet met haar stond, op enigerlei wijze tekort was geschoten in de elementairste regels van de wellevendheid.

'Dag Eve', zei hij terwijl hij haar kuste. 'Je ziet er beeldig uit.'

'Dank je, Armand', zei zij. 'En jij ruikt lekker. Anders dan anders, maar lekker.'

Dit op luchthartige toon uitgesproken compliment bracht Meneer Em dermate van zijn stuk dat hij vergat de tafel naar voren te trekken zodat Eve er gemakkelijker langs kon om te gaan zitten.

Maar Eve nam daar geen aanstoot aan en schoof behendig tussen de tafel en de bank terwijl hij naast haar bleef staan, niet zozeer uit beleefdheid maar omdat hij nog steeds uit het veld geslagen was. Door de komst van de ober kwam hij ten slotte tot zichzelf, en terwijl hij weer ging zitten bestelde hij voor Eve hetzelfde.

'Ik ruik… anders?' vroeg hij toen de ober weg was.

Eve zei niets, maar ze boog zich voorover over de tafel en snoof teder zijn geur op.

'Ja,' zei ze terwijl ze een keer diep inademde, 'precies wat ik dacht. Het is dezelfde geur, maar toch anders.'

Dit bij uitstek vrouwelijke antwoord was helaas niet bij machte Meneer Em tevreden te stellen, die nu onwillekeurig even aan zichzelf rook. De geur die hij opsnoof nam zijn ongerustheid gedeeltelijk weg. 'Het is nog steeds dezelfde eau de toilette', zei hij met stelligheid. Toen rook hij nog eens. Met minder onzekere neus dit keer.

'Ik gebruik al ruim veertig jaar hetzelfde parfum', voegde hij er niet zonder trots aan toe.

'Dan is de geur van je huid zeker veranderd, schat', zei Eve, die graag op een ander onderwerp was overgegaan.

Deze laatste veronderstelling scheen Meneer Em nog meer in de war te brengen dan de eerste.

'Misschien ben ik een beetje te royaal geweest', zei hij, de fabrikant en zijn nieuwe doseerdopje vervloekend.

'Dat misschien ook, maar het is niet het enige', zei Eve.

Meneer Em wist niet wat hij ervan moest denken. En hij groef in zijn geheugen, op zoek naar een aannemelijke verklaring voor het raadsel. Maar hoe hij ook zocht, hij vond niets. Hij had nog steeds dezelfde eau de toilette, dezelfde zeep, dezelfde tabak, en dezelfde voedingsgewoontes. En toch zei Eve, die hij twee dagen en zeker niet langer geleden nog had gezien, dat zijn geur was veranderd. Werkelijk, Meneer Em begreep het niet.

'Ik heb net nieuwe gekocht', bracht hij ten slotte uit. 'En het is nog steeds dezelfde eau de toilette. Ze hebben alleen de verpakking en de flacon veranderd.'

'Nou, dan ligt het aan de flacon.'

'Hoe dat zo, aan de flacon?'

'Gewoon, omdat het geurbeeld van een parfum wordt beïnvloed door de verpakking. Ik kan het weten, als docent kunstgeschiedenis. De vorm is heel belangrijk.'

'Hoe kan een product waarvan de bereiding zo nauw luistert als van een parfum, veranderen alleen door een flacon?'

Meneer Em was niet overtuigd.

'De vormgeving van de flacon beïnvloedt het geurbeeld van een parfum en bepaalt voor een deel de manier waarop het vrijkomt', zei Eve. 'Net als andere factoren, zoals de buitentemperatuur, de luchtdruk, en de persoon die het draagt uiteraard. En aangezien in het onderhavige geval geen van die factoren is veranderd blijft dus, bij eliminatie, alleen de flacon over.'

'Dat twee mensen', zei Meneer Em, die steeds zenuwachtiger begon te worden, 'die hetzelfde parfum gebruiken anders ruiken, daar heb ik geen moeite mee. Maar ik kan nauwelijks geloven dat hetzelfde parfum bij dezelfde persoon anders ruikt als het uit een andere flacon komt.'

'En toch is het zo. Eenzelfde wijn uit eenzelfde vat zal een beetje anders smaken afhankelijk van het glas waaruit wordt gedronken. En hetzelfde muziekstuk gespeeld door dezelfde pianist zal anders klinken afhankelijk van de piano waarop het wordt gespeeld.'

Maar Meneer Em luisterde al niet meer. Hij was terug in zijn kleedkamer. En op de ladekast zag hij heel duidelijk de flacon van ultralicht, haast etherisch glas staan die hij die ochtend wat al te overijld had ingehuldigd. En in de afvalmand, naast de ladekast, kon hij precies even duidelijk de fraaie lege flacon van dik, ondoorzichtig glas zien die hij zo haastig had onttroond. Hij keek op zijn horloge. Het was bijna elf uur. En hij zag voor zich hoe Mevrouw Cécile de afvalmand leegde zodat de flacon – *zijn* flacon – in de vuilnisbak belandde. En hij zag voor zich hoe dezelfde Mevrouw Cécile de vuilnisbak naar beneden bracht. En hij zag voor zich hoe hij in de vuilnisbakken van het flatgebouw stond te wroeten. Hij zag zelfs voor zich hoe hij over de boulevard Edgar Quinet achter de gemeentelijke vuilniswagen aan rende. En plotseling hield hij het niet langer. Halsoverkop kwam hij overeind, een onbeholpen excuus mompelend tegen Eve, die hij toch uit Auteuil had laten komen, en liep, rende bijna terug naar

zijn huis, korte metten makend met de *gravitas* die zijn gedrag doorgaans kenmerkte. Want een elegant man, dat is
algemeen bekend, heeft nooit haast.

3

Willen we het nogal merkwaardige gedrag van Meneer Em verklaren, en trachten de redenen te begrijpen die een doorgaans zo beleefd heer ertoe hadden kunnen brengen een dame zomaar aan haar lot over te laten in een openbare ruimte, en een meestal zo bedaard heer om op een draf tussen de auto's door een boulevard over te steken, dan zouden we moeten ingaan op de zeer speciale relatie die Meneer Em altijd had onderhouden met zijn geur. Want wie parfum zegt, zegt uiteraard geur. Op dat alles zou nader ingegaan moeten worden, en we zouden ruim vijftig jaar terug moeten in de tijd, naar de wanhopige per buizenpost verzonden brief waarmee de kleine Marielle Lafont zich op een dag had gericht tot de jeugdige Armand Em, die het net had uitgemaakt. Een brief waarin ze, vele hartstochtelijke pagina's lang, sprak over de geur van zijn huid die ze nooit – maar dan ook nooit – zou kunnen vergeten, zelfs niet wanneer zijn beeld mettertijd vervaagd zou zijn in haar gemarteld geheugen.

Vanaf dat moment begon het daadwerkelijk tot Armand Em door te dringen dat zijn geur in dezelfde mate als zijn uiterlijk en zijn optreden een niet onaanzienlijke troef was in zijn veroveringsstrategie. En het wat-ruik-je-toch-zalig dat de ontelbare andere Marielles in zijn leven later altijd weer tegen hem zeiden, sterkte hem in die overtuiging, met het gevolg dat hij aan zijn geurbeeld dezelfde zorg ging besteden als hij tot dan toe alleen voor zijn visuele beeld had overgehad.

Daarna begon een lange zoektocht naar een parfum dat zijn lichaamsgeur, het belangrijkste verleidingsmiddel waarover hij beschikte, op zijn voordeligst zou doen uitkomen. Natuurlijk had hij de parfums best kunnen laten voor wat ze waren en zich kunnen verlaten op zijn natuurlijke geur, die hem toch meestal precies leek te brengen waar hij wezen wilde. Maar dan hadden we buiten de waard van Armand Ems voluntarisme gerekend. Want Armand Em was geen passief versierder. Hij behoorde niet tot de aristocraten van de verleiding, tot de knappe mannen die alleen maar knap hoeven te wezen en die wachten tot de vrouwen naar hen toe komen. In het verleiden was Armand Em werkelijk een stachanovist. En een parfum dat hij had uitgezocht, en betaald, was voor hem het concrete bewijs dat zijn succes bij het zwakke geslacht het resultaat was van een echte veroveringsstrategie, en niet maar gewoon een speling der natuur waaraan hij de neus van een of andere Griekse god en de ogen van een of andere megaster van het witte doek te danken had.

Er was nog een reden waarom Armand Em op zoek ging naar een parfum. Tot dan toe had hij zijn uiterlijke verschijningsvorm aangewend om zijn prooi aan de haak te slaan, zijn verbale charme om haar te verleiden, en daarna zijn intieme geur om haar aan zich te binden. Maar nu bood het idee van een parfum, in de zin van een openbaar verlengstuk van zijn intieme geur, hem de gelegenheid om zijn imago te completeren met een olfactorische aura. Voortaan was het nergens meer voor nodig dat een vrouw haar gezicht verborg in zijn hals of gulzig zou snuffelen in zijn oksels, als hij wilde dat ze uit zijn hand zou eten. Van nu af aan zou ze zich alleen maar binnen bereik van zijn geurexsudaties hoeven te bevinden en ze zou al voor hem vallen. Met zo'n parfum zou hij, door de verschillende lagen katoen en wol heen die hij om redenen van welvoeglijkheid en elegantie genoodzaakt was te dragen, zijn persoonlijke geur naar openbaar terrein uitbreiden. Dus ging hij op zoek naar zijn parfum.

Na enige jaren tussen planten, houtsoorten en wortels heen en weer te hebben gezwalkt en onder meer beurtelings de werking van lavendel en vetiver te hebben beproefd, vond hij uiteindelijk een eau de toilette op basis van muskus die hem het best bij de geur van zijn huid leek te passen, en die zich er op voordelige wijze mee vermengde zonder te trachten die geur te verdringen. Deze eau de toilette was in feite de list die hij had gevonden om naakt te blijven terwijl hij geheel gekleed was. Ze ging op zeer gelukkige wijze een verbintenis aan met zijn uiterlijke verschijningsvorm, zijn innemende optreden en zijn intieme geur, en het aldus ontstane kinetisch-visueel-olfactorisch geheel deed in een oogwenk de drieledigheid van aantrekking, verleiding en onderwerping met elkaar versmelten. Deze zelfde eau de toilette had overigens het voordeel niet erg gangbaar te zijn, want ze was peperduur en werd gemaakt door een klein parfumhuis in Grasse dat voor Parijs maar één enkele distributeur had, wat Armand Em sterkte in zijn opvatting over het exclusieve karakter ervan. En sindsdien hield hij het bij deze eau de toilette. Hij die zijn minnaressen ontrouw was bij het leven, bleef deze eau de toilette door dik en dun trouw omdat ze door haar geurbeeld de contouren van zijn publieke imago bepaalde en het gebied van zijn uitstraling in gezelschap afbakende.

Het bovenstaande maakt het misschien wat begrijpelijker dat het Meneer Em bang te moede werd door de al met al onschuldige opmerking van Eve. Want als de vormgeving van een flacon werkelijk in staat was het geurbeeld van een parfum te veranderen, was Meneer Ems vrees dan niet terecht, als hij dacht dat het aldus veranderde geurbeeld van het parfum in staat was het voorkomen van degene die het draagt te veranderen?

Eenmaal thuis ging hij regelrecht naar zijn kleedkamer, met zijn hoed nog op en zelfs zonder zich de tijd te gunnen om zijn paraplu weg te zetten. En daar slaakte hij een zuchtje van opluchting. Het vertrek was nog gespaard gebleven voor de opruimwoede van zijn werkster. De lege flacon lag nog steeds in de afvalmand waarin hij hem had achtergelaten. Even was Meneer Em in de verleiding de flacon meteen uit de afvalmand te grissen, als was het een oude lievelingstrui van kasjmier die per ongeluk tussen een partij oude kleren voor het Leger des Heils terecht was gekomen, of een hond waarvan niemand hield en die als hij eenmaal naar het asiel is gebracht, toch meteen hevig wordt gemist. Maar hij hoorde Mevrouw Cécile bezig in de naast de garderobe gelegen badkamer, en deed niets van dat alles. Het leek hem beter eerst de deur van zijn garderobe dicht te doen, en automatisch zocht hij in het niet-bestaande slot naar een sleutel die er al evenmin was. Want hij wilde onder geen beding gestoord worden, en de handeling die hij op het punt stond te gaan verrichten, bezat in zijn ogen een dermate intiem karakter dat ze absolute privacy vereiste.

Nadat hij dus, bij gebrek aan slot en sleutel, de deur van de garderobe zorgvuldig had dichtgedaan, zette hij eindelijk zijn paraplu weg en zijn hoed af, en haalde de open flacon en het donkerblauwe stopje dat ernaast lag uit de afvalmand. Want niet alleen had Meneer Em de koning der flacons verstoten, hij had bovendien zijn kop laten rollen.

Toen hij de fles eenmaal te pakken had, merkte hij dat er nog een heel klein bodempje parfum in was achtergebleven; een minieme hoeveelheid levenschenkende vloeistof die de observatie rechtvaardigde dat de flacon niet echt dood was, dat hij nog ademde. En Meneer Em zei bij zichzelf dat hij de fles, in zijn onnadenkende spilzucht van de ochtend, doodgewoon levend had begraven. Nadat hij de oude flacon met de stop op de ladekast had gezet, pakte Meneer Em de nieuwe, schroefde de aluminium dop eraf en verwijderde toen, met zijn tanden, het plastic doseerdopje dat de toevoer regelde. Daarna zette hij deze flacon zonder enige omzichtigheid weg, pakte behoedzaam de oude, waarvan hij net zo behoedzaam de dop verwijderde, er wel voor zorgend dat deze heel bleef. Want hij was van plan er nog lang mee te doen. Vervolgens begon hij met vrome aandacht het geurende vocht van de nieuwe flacon in de oude over te gieten. De hals van de nieuwe was wijder dan die van de oude, en het karweitje was verre van gemakkelijk. Dus nam Meneer Em zich voor zo'n metalen trechtertje te kopen zoals hij bij zijn parfumerie aan de boulevard Saint-Germain had zien liggen.

Het vereiste nogal wat behendigheid om zo min mogelijk te morsen. Zonder de hulp van een trechter kwam niet alle vloeistof die zich in de nieuwe flacon bevond, in de oude terecht. Een fikse dosis liep langs de buitenkant van de flacon en de handen van Meneer Em. Maar wat maakt het uit, dacht Meneer Em, die voortaan meer belang hechtte aan vorm dan aan inhoud: als Eve gelijk had — en ze had zeker gelijk —, zou hij in kwaliteit winnen wat hij aan kwantiteit verloor.

Toen het vervelende werkje van het overgieten klaar was, zette Meneer Em het doseerdopje terug op de hals, deed de stop er weer op en zette de flacon langzaam in zijn nisje boven de ladekast, veilig voor een onhandig gebaar, want de, uiterst zeldzaam geworden, houder was in het vervolg voor hem van meer belang dan de, aanvulbare, inhoud.

Vervolgens zette hij de flacon vast in zijn nis. En plotseling leek het wel of Meneer Em een priester was, dat de commode eigenlijk geen commode was maar een altaar, en dat die nis niet zozeer nis was als wel tabernakel. De trans-substantiatie was bezig zich te voltrekken. Nu moest hij alleen nog de tijd de tijd laten om zijn werk te doen en de vorm van de flacon de olfactorische vorm van het parfum laten hermodelleren.

Na een paar momenten van stille overpeinzing ging hij de kleedkamer uit, zonder de deur achter zich dicht te doen. Mevrouw Cécile mocht nu in alle rust schoonmaken, opruimen, en hem verlossen van de usurpator die een laatste rustplaats had gevonden in de afvalmand.

4

Bij hun volgende ontmoeting een paar dagen later trof Eve dus een volkomen serene Meneer Em, en een minnaar die net zo zeker was van zichzelf als altijd toen hij diezelfde middag in het schemerlicht van een hotelkamer met haar naar bed ging. Zoals de meeste maîtresses van Meneer Em was Eve getrouwd, en Meneer Em ontving zijn maîtresses nooit bij zich thuis, hij gaf er de voorkeur aan — zowel uit respect voor de nagedachtenis van zijn vader als om het stiekeme en schuldige, dat hem opwond — de afspraakjes te laten plaatsvinden in een hotelletje in de rue de la Pompe dat erom bekendstond discreet gelegenheid te geven aan overspelige liefdes. Het hotel, de kamer en de gast waren altijd dezelfde, en alleen de partners van de laatste wisselden (hoewel minder vaak, de afgelopen jaren).

'Nou en?' vroeg hij, voor het eerst de heilige regel schendend die hij zichzelf vroeger had gesteld om nimmer als eerste te praten na de liefde.

'En wát, lieveling?'

'Wat vind je ervan?' zei hij, en door deze poging een gesprek op gang te brengen bevestigde hij dat hij ten prooi was aan een ongewone nervositeit.

'Wat vind ik waarvan, Armand?' vroeg Eve, die haar oren niet kon geloven.

'Nou… Van mijn eau de toilette, natuurlijk.'

'Van-je-eau-de-toi-lette!' zei Eve, elke lettergreep benadrukkend, kennelijk opgelucht dat ze verkeerd had begrepen waarop de vraag betrekking had.

Ze besloot het spel mee te spelen, schoof dichter naar haar minnaar toe die, één maal is geen maal, niet zoals gewoonlijk postcoïtaal afstand had genomen, rook aan zijn tors, zijn gezicht en zijn hals, trok het mondje van iemand die het voor en het tegen afweegt, en omdat ze een plichtsgetrouw iemand was stond ze vervolgens op om aan het overhemd en het jasje van Meneer Em te snuffelen, die hij over de rugleuning van een stoel had gehangen.

Meneer Em keek met welgevallen naar haar sierlijk voorovergebogen gestalte, wat hem even zijn parfum deed vergeten. En er welde niet een opleving van begeerte in hem op – daar was het nog een tikkeltje te vroeg voor – maar een gevoel van trots, trots dat hij een zowel jonge als mooie vrouw had verleid en veroverd, en dat hij haar had afgepikt van een man die zeker wel vijftien jaar jonger was dan hij.

Mensen die Meneer Em maar oppervlakkig kenden, zouden — waarschijnlijk met reden — zeggen dat zijn gedrag in dezen macho, pueriel en onheus was. Maar iemand die hem beter kende zou eerder zeggen dat hij als hij Eve en alle andere Eves verleidde, op zoek was naar de moeder die hij nauwelijks had gekend, en dat hij als hij ze later zonder een spoor van berouw of spijt liet vallen, wraak nam voor zijn vader.

Onkundig van de gedachten die door het hoofd van haar minnaar flitsten volbracht Eve opgeruimd de bizarre taak die hij haar had opgedragen. En op opgewekte toon bracht ze hem van haar bevindingen op de hoogte.

'Het is net wat ik dacht', zei ze. 'Wat je lichaam betreft ben je nog steeds dezelfde, maar minder in je gezicht en je kleren… Je lichaam heeft nog steeds dezelfde geur — een fluctuerende geur die in golven opkomt en wegebt —, maar in je gezicht en in je kleren — en zelfs in je hals — is de geur — hoe zal ik het zeggen — constanter, hardnekkiger. Ja, hardnekkig… Dat woord zocht ik. Het is een geur die zich niet echt vermengt met de andere geuren. Hij is… overheersend.'

Meneer Ems gezicht betrok. De transsubstantiatie was dus niet gelukt. De moeizame overheveling die hij had uitgevoerd zou uiteindelijk niet veel zin hebben gehad. Het lag dus niet alleen aan de flacon. Er moest nog iets anders aan de hand zijn. Iets wat niet zo gemakkelijk te verhelpen zou zijn. Iets waarvan hij niettemin de aard moest vaststellen, wilde hij zichzelf in de gelegenheid stellen om handelend op te treden.

5

Het eerste wat hij die avond deed toen hij thuiskwam was zich aan zijn bureau zetten om een brief te schrijven. Een brief aan de fabrikant, waarvan hij op de oude flacon het adres vond, zij het zonder de postcode. De brief, die hoffelijk was maar gedecideerd en waarvan hij uiteraard een kopie voor zijn archief maakte, luidde als volgt:

Mijne Heren,

Ik richt me tot u naar aanleiding van *Musc*, de lange tijd geleden door uw Parfumhuis gecreëerde eau de toilette, de enige die ik veertig jaar achtereen zonder onderbreking gebruikte *(Meneer Em had bewust de onvoltooid verleden tijd gekozen, om aan zijn formulering een verhuld dreigende lading mee te geven).*
Ik ben dus een oude en trouwe klant van uw Huis, en op grond daarvan richt ik me nu tot u om me te laten voorlichten over de nieuwe eau de toilette die u recentelijk

op de markt hebt gebracht. Hoewel de naam inderdaad dezelfde is gebleven, vertoont deze *Musc* maar een zeer geringe overeenkomst met het origineel.

Aanvankelijk meende ik dat het verschil tussen de twee parfums te wijten was aan de nieuwe verpakking, met name aan de nieuwe flacon waarover ik ook wel het een en ander op te merken zou hebben, een onderwerp dat ik op dit moment evenwel zal laten rusten. Dus heb ik de eau de toilette van de nieuwe flacon overgegoten in de oude, in de hoop dat ze daardoor haar oorspronkelij- ke geurbeeld zou terugkrijgen. Aangezien deze bewer- king niet tot het beoogde resultaat heeft geleid, ben ik helaas tot de conclusie gekomen dat de oorzaak van de verandering moet worden gezocht in het feit dat de be- reidingswijze van *Musc* kennelijk niet meer dezelfde is.

Ik zou u zeer erkentelijk zijn indien u mijn conclusies per omgaande, en naar onderstaand adres, zoudt willen be- vestigen of ontkennen. Voor het, buitengewoon onaan- gename, geval dat u mijn vermoedens zoudt bevestigen, zou ik gaarne van u willen vernemen welke de redenen zijn waarom u hebt gemeend veranderingen te moeten aanbrengen die ik zonder aarzeling als desastreus zou willen kwalificeren, in een uniek parfum dat, daaraan twijfel ik geen moment, al degenen die het net als ikzelf

al vele jaren droegen, volledige tevredenheid schonk.
In afwachting van uw antwoord verblijf ik, met gevoelens van de meeste hoogachting,

Armand Em

Meneer Em moest twee lange weken geduld oefenen voordat hij het antwoord ontving waarop hij wachtte. En toen dat antwoord kwam, herkende hij het niet meteen als zodanig. Hij verwachtte namelijk een brief uit Grasse, en in plaats daarvan ontving hij een dikke envelop die in Parijs was gepost en die voorzien was van het logo van een groot cosmeticaconcern. Toen hij haar openmaakte, zonder precies te begrijpen wat hij onder ogen had, trof hij de volgende brief aan:

Geachte Heer,
Uw brief van de 13de dezes, die was gericht aan ons Huis in Grasse, hebben we in goede orde ontvangen.
Zoals u waarschijnlijk wel uit de pers hebt vernomen, heeft ons concern, een van de drie grootste ter wereld waar het cosmetica en parfumerie betreft, de parfumerie in Grasse waar *Musc* wordt geproduceerd, vorig jaar overgenomen, waarbij het zich heeft verplicht de kwa-

liteit te handhaven die sinds zijn oprichting in 1905 kenmerkend was voor de producten van dat Parfumhuis en daarenboven de eerbiedwaardige traditie op het gebied van parfumerie in stand te houden zoals dat ook sinds 1730 door de Corporation des Parfumeurs Grassois wordt gedaan.

Musc werd, zoals u ongetwijfeld zult weten, in 1915 gecreëerd en het kan met recht een trendsetter worden genoemd die aan de wieg stond van een verscheidenheid aan muskusachtige parfums die alle de oorspronkelijke *Musc* min of meer benaderden, maar haar nooit hebben weten te evenaren. *Musc* werd tot nu toe gemaakt op basis van een dierlijke geurstof, muskus (zoals de naam van het product al aangeeft), bereid en gerijpt in alcohol die door de vakmensen tinctuur wordt genoemd.

Muskus is, zoals u zeker evenmin onbekend zal zijn, een stof die in de bronsttijd wordt afgescheiden door een klier aan de buikzijde van mannelijke muskusherten. Als dierlijk product heeft muskus alle voordelen en alle nadelen van natuurlijke producten. En helaas moet worden vastgesteld dat in onze tijd die nadelen ruimschoots zwaarder wegen dan de voordelen, zoals ook blijkt uit de discussie (hoewel er van enige overeenkomst geen sprake is) op Europees niveau over gepasteuriseerde kaas.

Toen ons concern het Parfumhuis overnam dat *Musc* vervaardigt, kregen we al spoedig te maken met twee problemen, het ene op het vlak van de fabricage, het andere van sociologische aard, die beide een snelle besluitvorming vereisten.

Op het vlak van de fabricage moesten we constateren dat de onbetrouwbaarheid van de levering van natuurlijke muskus en de exorbitant hoge prijs ervan een belemmering vormden voor productie op redelijke schaal en de verkoop tegen een billijke prijs van deze eau de toilette die, hier zult u het zeker mee eens zijn, een grotere verspreiding zou verdienen *(nee, daar was Meneer Em het allerminst mee eens, hij die* Musc *oorspronkelijk had gekozen vanwege haar exclusiviteit).* Overigens, het zal u ongetwijfeld niet zijn ontgaan dat de nieuwe *Musc* de helft minder kostbaar is dan de oude *(jawel, dat was Meneer Em volledig ontgaan, aangezien hij bij al zijn leveranciers een rekening had lopen).* Daarenboven, en nog altijd op het vlak van de fabricage, waren onze scheikundigen, evenals trouwens de meesterparfumeurs van het Parfumhuis in Grasse, unaniem van mening dat de risico's van de bij de fabricage van dit natuurlijke product gebruikte artefacten een nadelige uitwerking hadden op het eindproduct zodat de kwaliteit van *Musc* niet constant was. Als trouw gebruiker van *Musc* moet het u overigens zijn opgevallen dat het parfum niet altijd precies hetzelfde was, wat veroorzaakt werd door de onzuiverheden inherent aan elk natuurlijk product. Het behoeft geen betoog dat een concern als het onze, dat zich wat de fabricage betreft zeer strenge criteria oplegt, zich wel genoodzaakt zag die schommelingen en onzuiverheden te elimineren teneinde al zijn klanten tot volledige tevredenheid van dienst te kunnen zijn.

Wat het sociologische aspect betreft: ons concern heeft rekening moeten houden met de mentaliteitsverandering die zich in de moderne samenleving heeft voltrokken ten aanzien van de toepassing voor cosmetische doeleinden van dierlijke producten in de industriële fabricagemethoden. Temeer daar de lijst van wettelijk beschermde diersoorten van dag tot dag langer wordt. En temeer daar het muskushert in gevangenschap geen muskus afscheidt. Met andere woorden, het was ons duidelijk dat het gebruik van de in de bronsttijd door de klieren aan de buikzijde afgescheiden stof van dit edele dier, want zo mogen we het muskushert toch wel noemen, niet werkelijk in overeenstemming was met het imago waaraan ons concern momenteel tegenover het publiek zou willen beantwoorden.

Dit vastgesteld hebbende, en in het besef dat er tot actie moest worden overgegaan, hebben onze scheikundigen, in goed overleg met de meesterparfumeurs van ons Parfumhuis in Grasse, zich aan de taak gezet een synthetisch product te vinden dat een perfecte vervanging zou zijn van de natuurlijke muskus en met alle voordelen van die stof, maar zonder de nadelen. Na lange maanden van onderzoek zijn onze scheikundigen erin geslaagd om in onze moderne laboratoria in een van de westelijke voorsteden van Parijs een preparaat te ontwikkelen dat volledig aan deze eisen voldoet en dat de goedkeuring kon wegdragen van de 'neus' van ons huis. Laten we zeggen, zonder u al te veel te willen vervelen met technische details, dat het een preparaat is op basis van muskus in een genitreerde verbinding en van muscon. Dit nieuwe preparaat heeft overigens de volledige goedkeuring gekregen van de meesterparfumeurs in Grasse, en is sedertdien op de markt gebracht in de nieuwe verpakking die u al in handen hebt gehad en die beter past bij de nieuwe grotere verspreiding. De 'neus' van ons huis (op dit gebied, het zij terloops opgemerkt, een autoriteit) en de meesterparfumeurs in Grasse zijn unaniem van mening dat de nieuwe *Musc* exact dezelfde geur en exact hetzelfde geurbeeld bezit als de vroegere *Musc*. Precies daarom hebben we ook dezelfde naam, *Musc*, gehandhaafd. Het is te begrijpen dat u lichtelijk in verwarring bent gebracht door de nieuwe verpakking. Maar laat er geen misverstand over bestaan: de *Musc* die u op het moment gebruikt, wat wij als een eer beschouwen, is exact dezelfde als de *Musc* die u van oudsher kent en hebt gewaardeerd.

Wij menen zeker te weten, waarde heer, dat u zich spoedig gewonnen zult geven en dat de nieuwe *Musc*, hetzij in haar nieuwe verpakking hetzij door uw zorgen overgedaan in de oude flacon, u de onstabiele kwaliteit van haar voorgangster zal doen vergeten.

Bijgaand treft u de volledige documentatie aan betreffende de diverse cosmetische middelen en parfums van ons concern, alsmede een monster van de laatste aanwinst in ons parfumassortiment, *Câlin*, dat Mevrouw uw echtgenote zeker zal bevallen.

U dankend voor uw trouwe klandizie en in de hoop dat ons de eer te beurt zal vallen u nog lang tot tevredenheid te mogen dienen, verblijven we, met gevoelens van de meeste hoogachting,

Alain Bertoux
Afdeling Klantenbinding

Meneer Em las en herlas deze brief, waarin hem heel wat werd onthuld – in het bijzonder inzake zijn parfum –, maar wat hij eruit vernam liet hem geen enkele hoop. Integendeel, deze brief gaf alleen maar een wetenschappelijke fundering aan zijn gevoel dat hij was beetgenomen. Tot dusverre wist Meneer Em niet wat muskus precies was. Hij had zich dat ook nooit werkelijk afgevraagd en al evenmin had hij getracht er iets over te weten te komen, want zijn eau de toilette was voor hem iets vanzelfsprekends geweest. Tot op dat moment had hij zijn parfum altijd in zijn totaliteit gezien, als globaal geurbeeld, zonder een poging te doen het te ontleden, waarschijnlijk uit vrees dat het zijn mysterieuze werking zou verliezen. In feite meende Meneer Em, die weinig benul had van plant- en scheikunde, dat muskus een plant was – een harssoort, om precies te zijn, en een verre achterneef van de Arabische gom. En nu moest hij vandaag van die Meneer Bertoux van de Afdeling Klantenbinding horen dat muskus helemaal niet plantaardig was maar in werkelijkheid een dierlijk product, en dan nog wel afgescheiden door een mannetje in de bronsttijd. Opeens werd het Meneer Em duidelijk waarom zijn keuze indertijd – en volkomen spontaan – met uitsluiting van elk ander parfum op *Musc* was gevallen, en hij begreep ook waarom speciaal deze eau de toilette hem zo op het lijf geschreven was en zijn verleidings- en veroveringsstrategie zo perfect ondersteunde. De seksuele connotatie van zijn parfum werd hem onverhoeds in volle helderheid geopenbaard. Een fractie van een seconde werd Meneer Em zelf een mannelijk muskushert in de bronsttijd. Een fractie van een seconde maar, want zie, nu kwam die Meneer Bertoux hem op de meest suikerzoete toon vertellen dat dat allemaal tot het verleden behoorde. Meneer Em voelde zich dubbel, nee driedubbel gepakt: er was hem een natuurlijk parfum afgepakt, een dierlijk parfum én een seksueel parfum.

6

De brief van Meneer Bertoux had in ieder geval de verdien-
ste Meneer Em ertoe aan te zetten meer te weten te komen
over parfum. Hij begon dus met de werkjes van Edmond
Roudnitska, van Gullino, en van Loszlo en Rivière over het
onderwerp aan te schaffen, te lezen en nauwgezet van aan-
tekeningen te voorzien; daarna verbreedde hij al spoedig
zijn blik. Hij begaf zich naar de Bibliothèque Nationale om
een reeks boeken te raadplegen die dieper op de kwestie in-
gingen — onder andere *L'Intimité du parfum* en *L'Esthétique
en question* — en gespecialiseerde tijdschriften in te kijken
zoals *Parfums-Cosmétiques-Arômes* en *Parfumerie-Cosmétique-
Savons.*

Het duurde niet lang of hij was in staat met kennis van zaken te praten over geurmoleculen — vlakke en bolvormige
—, hun kracht, hun vluchtigheid, hun oplosbaarheid, en hij
was alles te weten gekomen wat er te weten viel over natuurlijke ingrediënten en synthetische stoffen, over plantaardige parfums en dierlijke parfums, over 'cyclische' en 'rechte'

verbindingen, 'geurnoten' en 'akkoorden', evenals over de 'neuzen', ongeacht of ze van het huis of mechanisch zijn. En bovenal – bovenal – maakte hij uitvoerig kennis met het mannelijke muskushert van de Aziatische hoogvlakten, met zijn buikklieren en zijn seksuele gewoontes.

Vervolgens, van het een kwam het ander, ging hij van parfum over op geur, en van de boeken over parfumerie en schoonheidsverzorging op werken die meer zuiver medisch waren. Want hoe meer hij las, hoe meer hij wilde weten over zijn toestand. Zo immers was hij nu gaan denken. Hij had een *toestand*. Zoals je spreekt over de toestand van een zieke. Zoals iemand die onthoudingsverschijnselen vertoont, in een bepaalde toestand verkeert. Dus werkte hij hele jaargangen van *Le Journal de médecine* en van *The Lancet* door, op zoek naar artikelen over geuren en reukzin, en hij maakte zich vertrouwd met trilharen en bulbus olfactorius, chemoreceptoren, reukepitheel, feromonen, anosmie en hyperosmie.

En onvermijdelijk kwam hij al lezend terecht bij de processen waardoor de reukzenuwen worden aangestuurd. Dus verdiepte hij zich in het werk van de neurologen, en in het bijzonder in dat van John Krauer van de medische faculteit van Tufts over de neusholte van de salamander, en het onderzoek naar het menselijk brein verricht door Vilayanur Ramachandran, van de universiteit van San Diego.

Toen hij zich eenmaal voldoende op de hoogte had gesteld, legde Meneer Em de boeken weg en besloot zelf de proef op de som te nemen met de theorieën van deskundigen en geleerden inzake reukzin en sociaal gedrag. En, zei hij bij zichzelf, welk arbeidsterrein zou zich daartoe beter lenen dan La Rotonde? Dus koos hij domicilie in dat café, daar kwam het eigenlijk op neer. Zijn vaste tafel in de zaal liet hij links liggen en hij installeerde zich aan een rond tafeltje op het terras. Het was niet voor het eerst dat Meneer Em koos voor dat tafeltje, *al fresco*. Maar wel was het heel lang geleden dat hij daar had gezeten.

Toen hij dus zijn vaste tafel opgaf voor een andere op het terras, zette Meneer Em eigenlijk een oude gewoonte voort uit de tijd waarin hij, nog maar net gedemobiliseerd, weer bij zijn vader was ingetrokken aan de boulevard Edgar Quinet, La Rotonde tot zijn hoofdkwartier had gebombardeerd en datzelfde ronde tafeltje op het terras tot zijn nieuwe gevechtsstelling.

Dat speciale tafeltje was bij de klanten van de brasserie trouwens niet bijzonder gewild. En met reden. Het stond vrijwel pal op de rijbaan, in de voorste linie ten opzichte van de drukte op de boulevard, en op een plek waar het trottoir opeens veel smaller werd omdat zich daar een metro-uitgang bevond. De ware terrasliefhebbers gaven de voorkeur aan de tafels wat meer achteraf, op de hoek van de boulevard du Montparnasse en de boulevard Raspail, waar de kans minder groot was om onder de voet gelopen te worden en ze niet om de haverklap hun benen moesten intrekken om voorbijgangers te laten passeren. Terwijl de klanten die al helemaal geen massamens waren, kozen voor de tafeltjes die wat hoger stonden, vlak achter de openstaande glazen deuren, vanwaar ze overzicht hadden op alles wat er buiten passeerde en op alle passanten. Het tafeltje evenwel waarop de jeugdige Armand Em meteen zijn keus had laten vallen, stond zo dicht op de mensenmassa dat het, in het gunstigste geval, maar een afgeknot beeld van de voorbijgangers bood dat precies bij hun middel ophield.

Maar al die nadelen leken de jeugdige Armand Em niet te deren. Want al zat hij dan nauwelijks hoger dan de grond, datgene waarnaar zijn belangstelling uitging bevond zich in feite op een nog lager niveau. Wat hem interesseerde waren de metropassagiers die de trappen van de uitgang Vavin namen, aan de oneven kant van de boulevard, op twee passen afstand van zijn tafel. En, om nog preciezer te zijn, zijn belangstelling ging uit naar de reizigers van het zwakke geslacht. En van deze laatsten konden zij die de trap afgingen zich beslist niet in zijn belangstelling verheugen; nee, zijn voorkeur ging uit naar degenen die de metrogang verlieten via de trap. En dan niet naar degenen van hen die de trap doelbewust en met kennis van zaken namen – de buurtbewoonsters of degenen die kind aan huis waren in het zesde arrondissement, ten noorden van de boulevard du Montparnasse –, maar uitsluitend naar haar die het spoor bijster waren – zij die het station niet goed kenden, zich in de onderaardse gangen in de richting vergisten en, doordat ze de verkeerde uitgang hadden genomen, zich opeens op een smal trapje bleken te bevinden dat hun weinig vertrouwenwekkend voorkwam en waarlangs ze met onzekere tred en aarzelende blik naar boven gingen. Dat moment koos Armand Em om toe te slaan. Hij zette de aanval in precies op het moment waarop het besluiteloos vrouwelijk hoofd opdook op de trap onder hem. Hij wachtte niet tot het lichaam na het hoofd naar boven was gekomen in het licht. Hij selecteerde niet op figuur. Hij selecteerde voornamelijk op de blik. En zodra hij er een in het oog kreeg die hem kwetsbaar voorkwam, ging hij over tot actie. Hij zorgde ervoor dat hij een geluid maakte, welk geluid deed er niet toe. En voor een vrouw die zich waagde op onbewegwijzerd terrein, werd zo'n geluid – iets heel gewoons, het geluid van een lepeltje dat valt, of van een zelfverzekerde mannenstem die 'Ober' roept – een houvast, een teken van menselijkheid en vertrouwdheid in onbekende regionen. En haar tot op dat moment dwalende blik richtte zich meteen op de bron van het geluid. Op Armand Em dus. Dan was het zaak, voor hem, om die blik vast te houden. Hun ogen ontmoetten elkaar, hij glimlachte, en als zijn glimlach haar sympathiek voorkwam en haar op haar gemak stelde, liet ze zich erdoor leiden en op de laatste treden omhoog naar de straat was haar tred beslist minder onzeker. Eenmaal boven aan de trap bevond ze zich op nog geen meter afstand van zijn tafeltje, waarvan hij nog niet was opgestaan. En zelfs wanneer ze de blik afwendde, behaagzuchtig op zoek naar nieuwe aanknopingspunten die ditmaal eerder topografisch dan menselijk zouden zijn, stond hij beleefd op en zei: 'Bent u de weg kwijt?' En het werkte. En telkens als het werkte volgde de verleiding, en daarna de verlating, waarmee Armand Em zijn moeder afstrafte — die de echtelijke woning had verlaten — en wraak nam voor de zelfmoord van zijn vader.

Toen Meneer Em die dag aan datzelfde tafeltje plaatsnam, zei hij trouwens bij zichzelf dat er geen enkele reden was waarom het niet meer zou werken. Dus betrok hij zijn oude stelling, maakte zich op voor de strijd en paste zijn vroegere strategie toe. Maar hij was een stuk minder succesvol dan de jeugdige Armand Em. Dat kwam doordat Armand Em veertig jaar — en zelfs twintig jaar — eerder zijn pijlen logischerwijs kon richten op een tamelijk breed scala van doelen in leeftijd variërend van, grof gezegd, twintig tot vijftig jaar, wat een marge van dertig jaar betekende. Terwijl de oude Meneer Em er nu niet echt op kon rekenen een doel te treffen dat buiten een nogal beperkt scala van mogelijkheden van zeg maar tussen de vijftig en zestig jaar lag, dat wil zeggen een marge van tien jaar, een derde van de marge waarover de jeugdige Armand Em had beschikt. In zestig plus was Meneer Em niet geïnteresseerd. En onder de vijftig had de andere partij geen belangstelling.

Bovendien, al had de strategie nog steeds niets aan bruikbaarheid ingeboet, de wapens begonnen ontegenzeglijk wat gedateerd te raken. En al was de ligging van het strijdperk nog onveranderd en nog steeds even gunstig, en al werkte de psychologie nog steeds en op dezelfde manier, voor de dame in nood leek de eens koene ridder steeds minder op Lancelot – in feite begon hij steeds meer weg te krijgen van Merlijn.

Meneer Em evenwel, die geheel in zijn strategie en zijn herinneringen opging, realiseerde zich niet dat zijn wapens verouderd waren. Hij maakte evenveel rumoer met kopje en lepeltje als de jeugdige Armand Em, hij wist evenveel blikken naar zich toe te trekken, zijn glimlachjes waren even talrijk, maar slechts een enkelinge hield contact met hem als ze de treden van de trap die de doorslag moest geven, was gepasseerd. De meesten lieten hem meteen links liggen als ze op het trottoir stonden. En zelfs wanneer Meneer Em overeind kwam om galant te vragen of hij hun ergens mee van dienst kon zijn, ging het gesprek dat zich op die wijze ontspon, zeer zelden — om niet te zeggen nooit — verder dan de aanwijzingen die nodig waren om hetzij de rue Stanislas, hetzij de rue Huygens te bereiken.

Met het gevolg dat Meneer Em, die zijn plaats daar had ingenomen met het oog op een verleidings- en veroveringsstrategie, zich al spoedig in de rol van vrijwilliger-wijkagent gedrongen zag. Hij stelde zich uiterst beleefd op, door zijn optreden moest meer dan één dame haar mening wat betreft het gebrek aan wellevendheid van de Parijse mannen herzien, maar daar bleef het bij.

De wapens waren Meneer Em uit handen geslagen, en uiteindelijk verliet hij zijn stelling, blies de aftocht en verschanste zich in zijn eigen huis.

7

Voor Meneer Em, die altijd op de reputatie van versierder was blijven teren (maar die zich, dat is zo, niet meer aan het spel der verleiding had gewaagd sinds hij met Eve 'ging'), betekende de onfortuinlijke veroveringscampagne in La Rotonde met recht een schok. Een verschrikkelijke slag toegebracht aan zijn ijdelheid. Het was trouwens zijn ijdelheid die erop reageerde, en binnen de kortste keren schreef hij de blauwtjes die hij onlangs bij de vrouwen had gelopen, op rekening van de veranderingen die in dezelfde tijd in zijn geurbeeld waren opgetreden, die weer verband hielden met de wijzigingen in de samenstelling van *Musc*.

$C_{20}H_{24}O$: de geur van succes... Meneer Em herinnerde zich te hebben gelezen dat marketingexperts erin waren geslaagd in een laboratorium speciale geuren te creëren die precies waren aangepast aan specifieke plaatsen, dit om de lieden die niets beters te doen hadden geld uit hun zak te kloppen: de geur van vers gemaaid gras in groente- en fruitzaken, de geur van leer in autoshowrooms. Toen hun werd opgedragen voor een bepaalde winkel de geur van succes te ontwerpen, zouden de deskundigen zelfs $C_{20}H_{24}O$ hebben voorgesteld, de chemische basisformule van de geur waardoor moeders zich aan hun pasgeboren kind hechten. Meneer Em wist niet welke formule was ontstaan uit het gelukkige huwelijk van zijn geur met die van *Musc*. Maar dat ze synoniem was geweest met succes, in het bijzonder bij de vrouwen, dat stond voor hem nu wel vast. En nu had iemand, ook weer een expert, die formule veranderd, en dat was niet meer terug te draaien.

Tot dan toe had Meneer Em een natuurlijk parfum gedragen dat verrukkelijk onvolkomen en onstabiel was en dat een harmonische verbintenis met zijn natuurlijke geur aanging. Een parfum dat juist zo bijzonder was door zijn onzuiverheden – om de term van Meneer Bertoux nog maar eens te gebruiken. En nu werd hem een synthetisch parfum opgedrongen. Een betrouwbaar, coherent, en vooral hardnekkig parfum, waardoor hij tegenwoordig in openbare ruimtes dezelfde geur afgaf als alle andere mannen die het droegen – en van wie Meneer Bertoux hoopte dat het er zeer velen zouden zijn. Voortaan, dacht hij, zouden de vrouwen niet meer zeggen: 'Hmm… Wat ruik je toch lekker!' Voortaan zouden ze zeggen: 'Mmm… *Musc*?'

Het parfum van Meneer Em, dat veertig jaar lang zijn natuurlijke geur had versterkt, er met een weids geurenelan een bereik aan had gegeven dat dat van zijn lichaam en zijn kleren overtrof, en de vastliggende contouren van zijn persoonlijk geurbeeld had geaccentueerd, dat parfum liet hem nu in de steek, met het gevolg dat hem als enige troef nog slechts zijn visuele beeld restte. Het beeld dat impulsen uitzendt naar de analytische centra van het brein, terwijl de impulsen van het geurbeeld rechtstreeks naar de gevoelscentra gaan. En de hemel mocht weten, zei Meneer Em bij zichzelf, of bij de vrouw de gevoelscentra van het brein niet erg veel belangrijker waren dan de analytische centra. De gelijktijdigheid van de drie acties, aantrekking, verleiding en onderwerping, tot dusverre de drie pijlers van Meneer Ems veroveringsstrategie, was opgeheven, en hij besefte dat hij nu beoordeeld zou worden door het kritisch oog van de ander – van de vrouw in de eerste plaats. Een constatering die des te zorgwekkender was omdat hij zich herinnerde ergens gelezen te hebben dat bij de vrouw de reukzin soms wel eens duizendmaal sterker ontwikkeld kon zijn dan bij de man.

Meneer Em voelde zich ontredderd. Hij had het benauwd. Hij was een muskushert in gevangenschap, een muskushert dat niet in staat was tot het afscheiden van mus kus. Al spoedig daarna begon hij sterk het gevoel te krijgen dat er een fundamentele onrechtvaardigheid in het spel was, wat hem ertoe aanzette tot daden over te gaan. Hij was niet van plan met zich te laten sollen, mooi niet. Want Meneer Em was een knokker.

Maar Meneer Em had niet alleen iets van een vechtersbaas in zich. Voor een niet gering deel was hij ook tacticus, een talent dat ongetwijfeld tot ontwikkeling was gekomen bij de contraspionage, waar hij was aangespoeld na zijn terugkeer uit de oorlog in Indo-China, en waar hij uiteindelijk was blijven hangen via de omweg van een doctoraal examen Russisch.

Voordat hij zich met volledige inzet in de strijd gooide, zette hij zich dus aan zijn secretaire en begon, zwart op wit en systematisch, vast te leggen hoe hij zijn eigen situatie inschatte, wat zijn doelstelling was en, tot slot, de methodes om die te realiseren.

Onder *Inschatting van de situatie* noteerde hij hoeveel *Musc* hij gemiddeld verbruikte, namelijk een flacon van honderdvijfentwintig milliliter per maand — dat betekende dus twaalf flacons per jaar; daaronder schreef hij zijn leeftijd, negenenzestig; en ten slotte zijn levensverwachting, die hij vaststelde op tweeëntachtig op grond van twee parameters, erfelijkheid en statistische gegevens, wat betekende nog dertien lange jaren. De inschatting van Meneer Em liet dus een tekort zien van negentien en een halve liter echte *Musc*, wat gelijk stond aan honderdzesenvijftig flacons van elk honderdvijfentwintig milliliter.

Onder *Doelstelling* schreef hij op: 'Een reservevoorraad aanleggen van minimaal honderdzesenvijftig flacons *Musc*.' En aangezien hij een vooruitziende blik had, en het hem nog helder voor de geest stond hoe treurig het was afgelopen met een oudoom, een vrijgezel, die op grond van ingewikkelde berekeningen had vastgesteld dat hij zijn erfdeel comfortabel en geleidelijk kon opsouperen als hij uitging van een levensverwachting van tachtig jaar, maar die toen puntje bij paaltje kwam zijn eigen berekeningen en zijn spaargeld overleefde en het nog zestien jaar langer moest uitzingen in de meest bittere armoede, stond Meneer Em zichzelf een marge van acht jaar toe tot zijn negentigste, en dus telde hij nog zesennegentig flacons op bij de al eerder vermelde honderdzesenvijftig, wat hem bracht op een totaal van tweehonderdtweeënvijftig flacons. Tweehonderdzestig, als we het getal naar boven afronden.

Onder *Methodes* noteerde hij: (I) de parfumerie aan de boulevard Saint-Germain; (II) het Parfumhuis in Grasse; (III) de distributeurs van *Musc* buiten Parijs; (IV) de distributeurs van *Musc* in het buitenland; (v) uitdragerijen en (vi) het plaatsen van advertenties.

Toen hij hiermee klaar was ging hij onverwijld tot actie over.

8

De volgende ochtend zette Meneer Em een slappe vilt-
hoed, een trilby, op die martialer was dan zijn gebruikelij-
ke fedora, liep de boulevard Saint-Michel af tot aan de Seine en ging de parfumerie binnen waar hij vaste klant was.
Op dit tamelijk matineuze uur was de eigenaar van de zaak
nog niet op zijn post. Meneer Em evenwel sprak diens as-
sistent aan, deelde hem mee wat hij op zijn hart had en
legde hem het waarom uit. Ondanks zijn jeugdige leeftijd
leek de ander een en al begrip, leefde mee met Meneer
Em en beloofde op de trom te slaan om hem de grootst
mogelijke hoeveelheid te verschaffen van het reukwater
waarnaar zijn verlangen uitging. Meneer Em, die in hem
niet de verkoper zag maar de mens en de medeplichtige,
verliet hem met een gerust hart. Voorlopig zat er niets anders op dan afwachten tot de jongeman zijn belofte waar-
maakte.

Maar aangezien Meneer Em er de man niet naar was om werkeloos af te wachten, aangezien hij een man van de daad was, zette hij meteen toen hij na het bezoek aan zijn parfumerie weer buiten stond, fase twee van zijn strategie in gang. Nadat hij zich bij de tijdschriftenwinkel op de hoek *Aladin* had aangeschaft, het maandblad met informatie over antiquairs, rommelmarkten, uitdragerijen en dergelijke, ging hij met een kop koffie op het terras van een café vlak in de buurt zitten, stak een sigaret op en begon alle uitdragerijen in de streek rond Parijs aan te kruisen. De dagen en tijden die ze aanhielden onderstreepte hij zorgvuldig. Na zo zijn licht te hebben opgestoken stelde hij een schema op dat zich uitstrekte over een week waarin hij ze allemaal wilde bezoeken, en omdat hij het ijzer wilde smeden nu het heet was, ging hij meteen op jacht.

Hij mikte op de speciale etalages die bij alle uitdragerijen te zien zijn — maar die hij nooit een blik waardig had gekeurd — en waarin parfummonstertjes en -miniatuurtjes staan ten behoeve van de verzamelaar — van de mindere soort, dacht Meneer Em vroeger, een beetje te vergelijken met de verzamelaars van pin-ups en telefoonkaarten.

Na een klopjacht van een week toonde Meneer Ems jachttableau vijfendertig flacons echte *Musc* van elk tien milliliter, wat neerkwam op driehonderdvijftig milliliter in totaal, wat neerkwam op een voorraad *Musc* voor nog geen drie maanden. Dat de oogst schraal was, was nog te zwak uitgedrukt.

Zo Meneer Em al beter nieuws verwachtte van het Seine-front, dan kwam hij, helaas, al snel bedrogen uit. Toen de behulpzame en begrijpende jongeman van de parfumerie Saint-Germain uiteindelijk belde om te vertellen wat zijn tromgeroffel had opgeleverd, kon hij hem weliswaar meedelen dat hij een voorraad van tweehonderd flacons *Musc* op de kop had getikt in een galant hotelletje dat zijn deuren ging sluiten, maar de flacons in kwestie waren, helaas, maar piepkleine monsterflesjes van elk vijf milliliter, die de directie, met de complimenten, altijd voor de gasten neerzette.

Tweehonderd maal vijf milliliter. Dat betekende duizend milliliter. Dat wilde zeggen acht maanden bij gemiddeld gebruik. Dat was nog te weinig. Meneer Em had heel wat hogere verwachtingen gehad van de parfumerie Saint-Germain.

Veertien dagen nadat hij zijn offensief had ingezet, had hij dus een voorraad *Musc* aangelegd voldoende voor elf maanden. Nog niet eens het twintigste deel van de in zijn doelstelling genoemde hoeveelheid. Meneer Em was teleurgesteld. Toch liet hij zich niet uit het veld slaan. En om de depressieve apathie van zich af te schudden die dreigde zich van hem meester te maken, besloot hij dat hij behalve in actie nu ook in beweging moest komen.

Gebruikmakend van zijn status als oud-functionaris van de UICF en van de voorrechten en kortingen die de spoorwegen hem op grond daarvan verleenden, trok hij ten strijde en legde een kilometer of duizend af naar Grasse. Hij nam niet eens de moeite om van tevoren te schrijven of op te bellen. Hij rekende op het verrassingseffect. Maar toen hij zich de volgende morgen naar het bewuste adres begaf, in de bovenstad, wachtte hem een verrassing. In het grote witte huis waar tachtig jaar geleden de wieg van *Musc* had gestaan, was niet langer een parfumerie gevestigd, verbouwingswerkzaamheden waren in volle gang. De arbeiders die hij ter plekke aantrof en die druk in de weer waren, vertelden hem dat de parfumeriefabriek zijn deuren had gesloten en dat het gebouw was verkocht. Meneer Bertoux van de Afdeling Klantenbinding, zei hij bij zichzelf, had dus gelogen. Het Parfumhuis waar *Musc* werd gemaakt had het product niet overleefd. De multinational had het overgenomen, de ambachtelijke parfumeurs ontslagen en het kapitaal naar

Parijs teruggevoerd. Meneer Em, overrompeld terwijl hij meende te overrompelen, voelde een diepe haat in zich opkomen jegens Meneer Bertoux, die hij niet eens kende. En die haat verdubbelde zijn krachten op het moment dat deze dreigden hem te verlaten. Na een buurtonderzoek kwam hij er uiteindelijk achter waar de vroegere directeur van de parfumerie woonde, en onverwijld begaf hij zich naar het adres dat hem was verteld, ook nu weer zonder op te bellen.

Meneer Raiberti, want zo heette hij, was enigszins verrast toen hij de met een paraplu gewapende onbekende op de stoep zag staan. Niettemin ontving hij hem met echt zuidelijke gastvrijheid en beantwoordde bereidwillig zijn vragen. Inderdaad, het Parfumhuis had zijn deuren gesloten, en het was erg jammer dat dat was gebeurd zo kort nadat het zijn tachtigjarig bestaan had gevierd. Ja, alle parfums werden nu in de buurt van Parijs gemaakt. Nee, helaas, alle voorraden *Musc* waren uitverkocht — *Musc* was altijd op kleine schaal geproduceerd, en het was trouwens altijd heel goed verkocht. Het speet Meneer Raiberti oprecht voor Meneer Em, maar hij was er zeker van dat de nieuwe *Musc*, hoewel het synthetisch was, Meneer Em uitstekend zou bevallen. Nee? Deed het dat niet? Meneer Em geeft de voorkeur aan *die van ons*? Wel, in dat geval, misschien zou er tussen de paperassen van Meneer Raiberti wel een lijst zitten van de alleenvertegenwoordigers van *Musc* in de provincie. Misschien zou Meneer Em daarmee geholpen zijn. Ja? En Meneer Raiberti vond de kostbare lijst tussen zijn paperassen. En hij gaf haar aan Meneer Em. En hij stelde hem ook een andere lijst ter hand, die van de alleenvertegenwoordigers van *Musc* in het buitenland – je wist maar nooit, nietwaar? En Meneer Em bedankte hem allerhartelijkst. En Meneer Raiberti antwoordde dat het werkelijk graag gedaan was en dat het een genoegen was een zo trouwe klant van dienst te kunnen zijn. En daarna, toen hij hem uitliet, en misschien omdat het hem opviel dat Meneer Em er een beetje uitzag als een geslagen hond, en misschien ook omdat hij dacht aan de lange reis die Meneer Em achter de rug en nu weer voor de boeg had, vroeg Meneer Raiberti of hij hem even wilde excuseren, verdween in zijn huis met de met marmer betegelde vloer en kwam een paar minuten later terug met een grote flacon in de hand. Een enorme flacon, van het vertrouwde model. (Een vorstelijke halve liter.) Een flacon van vijfhonderd milliliter *Musc*. Echte *Musc*. En Meneer Raiberti legde uit dat van deze flacon maar vijftig exemplaren gemaakt waren, in 1965, ter gelegenheid van het feit dat *Musc* vijftig jaar bestond, en dat het hem genoegen zou doen als Meneer Em de fles zou willen aannemen. En Meneer Em, die nergens voor zou hebben teruggedeinsd om haar in zijn bezit te krijgen, zei beleefd dat hij dat onmogelijk kon doen, dat het een aandenken was en een herinnering aan Meneer Raiberti's loopbaan, en dat geen haar op zijn hoofd eraan zou denken Meneer Raiberti ervan te beroven. Maar Meneer Raiberti oefende zachte druk uit, en uiteindelijk liet Meneer Em zich ompraten, en hij bedankte Meneer Raiberti innig. En toen de flacon eenmaal van eigenaar was gewisseld, en omdat er door die uitwisseling een zekere intimiteit was ontstaan, bekende Meneer Raiberti aan Meneer Em dat hij persoonlijk nooit *Musc* had gebruikt, dat hij de voorkeur gaf aan andere geuren van het huis, *Chêne* bijvoorbeeld, of *Cèdre*, op basis van mos en hout. En Meneer Em van zijn kant vertrouwde Meneer Raiberti toe dat hij die parfums niet kende, omdat hij al heel vroeg zijn keus op *Musc* had laten vallen. Waaraan hij evenwel toevoegde, en dat meende hij, dat hij er geen moment aan twijfelde dat ze van uitzonderlijke kwaliteit waren geweest. Toen, na zijn onverwachte weldoener nogmaals te hebben bedankt, nam hij afscheid en vertrok, met zijn buit onder de arm.

In de trein die hem terugbracht naar Parijs maakte Meneer Em een voorlopige balans op van wat zijn actie had opgeleverd. Zeer snel, namelijk in het tijdsbestek van achtenveertig uur, had hij zijn vangst aanzienlijk vergroot, dat was zo. Maar het was nog te weinig. Hij had bijna duizend kilometer afgelegd, en nog eens duizend kilometer voor de terugweg, en dat had hem een halve liter *Musc* opgeleverd, dat wil zeggen een kwart milliliter per kilometer. Dus besloot hij dat hij niet per trein heel Frankrijk zou doorkruisen, voor een Tour de France op zoek naar *Musc*. De verhouding milliliter-kilometer leek hem niet lonend genoeg. En hoewel het tot nu toe heilzaam was gebleken om niet stil te blijven zitten, op den duur werd dat misschien toch wel vermoeiend. Toen hij de lijst bestudeerde die Meneer Raiberti hem ter hand had gesteld, constateerde hij dat er tien alleenvertegenwoordigers in de provincie waren en vijf in het buitenland. Hij nam zich voor te schrijven.

Wat hij meteen toen hij weer thuis was ook inderdaad deed. Hij stelde een brief op voor elk van de alleenvertegenwoordigers in de provincie, en een andere, die wat korter was en wat minder bloemrijk, voor de vertegenwoordigers in het buitenland. De brief voor de vertegenwoordigers in Milaan, Londen, München, Buenos Aires en Hongkong was korter en wat minder bloemrijk omdat Meneer Em, hoewel hij in het Frans schreef uitgaande van het principe dat de vertegenwoordiger van een Franse firma in het buitenland wel Frans moest kennen, het degene die zijn brief zou lezen toch niet te moeilijk wilde maken zodat hij vermeed al te grof geschut te gebruiken. Vervolgens, omdat hij nu meer in de sfeer van voorbereidingen dan van actie verkeerde, stelde hij ook een advertentie op *(verzamelaar zoekt oude flacons* Musc*)* voor het dagblad dat, zo vermoedde hij, het lijfblad was van de eventuele gebruikers van *Musc.* Daarna wachtte hij af.

En zo te zien leek hij nog het meest op een man op vrijersvoeten die in angstige spanning op een levensteken van de beminde wacht. Want had Meneer Ems gedrag tot dan toe nog geluisterd naar de regels van de tactiek, de afwachtende houding die hij zichzelf nu oplegde getuigde inderdaad van de ontregeling van de verliefde. Een ontregeling die, bijvoorbeeld, maakte dat hij 's morgens al vroeg zonder enig hulpmiddel van buitenaf uit de veren was en, als werd hij door een inwendige klok in beweging gezet, koortsig luisterde of hij de voetstappen van de huisbewaarster hoorde die zijn post boven bracht, en huiverde bij het ritselende geluid als er een brief onder zijn deur door werd geschoven. En omdat hij soms een concrete vorm wilde geven aan het wachten dat hem zwaar viel, riep Meneer Em voor zijn geestesoog een hele keten van heiligen op die hem met het voorwerp van zijn begeerte verbonden, en die van de alleenvertegenwoordiger via de beambte bij het sorteercentrum, via zijn postbode, via zijn huisbewaarster, uiteindelijk bij hem uitkwam.

9

In de weken volgend op het verzenden van de brieven en het plaatsen van de advertentie ontving Meneer Em acht flacons van honderdvijfentwintig milliliter *Musc* van de vertegenwoordiger in Biarritz, en nog vier van de vertegenwoordiger in Bordeaux. Ook kreeg hij als reactie op de advertentie die hij in de krant had gezet nog zes flacons afkomstig van particulieren, waarschijnlijk verzamelaars, want deze waren alle leeg. Maar toch moest hij zijn correspondenten schadeloosstellen voor hun moeite. Voor het overige ontving hij een groot aantal brieven van mensen die de advertentie hadden gelezen en hem een scala van parfums aanboden die niets met *Musc* te maken hadden. Deze brieven verscheurde hij allemaal na ze te hebben doorgenomen met een frustratie die even groot was als de bij hun komst gewekte hoop. En ten slotte ontving hij vier flacons *Musc* en een zeer hoffelijke brief van de Londense vertegenwoordiger — een Huis van gevestigde reputatie in Jermyn Street —, die er zijn spijt over uitsprak hem niet van groter nut te kunnen zijn, wat te wijten was aan het feit dat hij verplicht was zijn trouwe klanten voor te laten gaan. En deze brief verscheurde hij niet. Hij overwoog zelfs even om de parfumerie in Jermyn Street aan te schrijven om de namen en adressen te vragen van de klanten die *Musc* gebruikten, maar dat idee liet hij varen. Meneer Em had zijn waardigheid, en zijn trots als Fransman.

Deze acht weken leverden dus alles bij elkaar een oogst op van tweeduizend milliliter *Musc* die, gevoegd bij de voorraad van achttienhonderdvijftig milliliter die hij al had, Meneer Em op een totaal van drie liter en achthonderdvijftig milliliter brachten. Voldoende om gedurende eenendertig maanden in zijn behoefte te voorzien. Nog geen drie jaar, in feite. Daarna droogde de stroom brieven op.

Meneer Em had de hoop bijna opgegeven toen hij, vier weken later, een brief ontving van de vertegenwoordiger in Argentinië. De brief was gesteld in het Spaans, een taal die Meneer Em niet werkelijk beheerste, maar door noodzaak gedreven en met behulp van een tweetalig woordenboek slaagde hij erin zich een idee te vormen van de inhoud, en te begrijpen dat hem werd meegedeeld dat er in Buenos Aires drie flacons *Musc* voor hem klaarstonden die hem per post toegestuurd zouden kunnen worden meteen na ontvangst van een bepaald bedrag in peso's op de aangegeven bankrekening.

Toen hij eenmaal zeker was van zijn vertaling, begaf Meneer Em zich op stel en sprong naar zijn bank en haastte zich de vereiste som te storten. Wat de wisselkoers betreft stelde hij zich trouwens niet benepen op. Daarmee hoopte hij de Argentijnse vertegenwoordiger te doordringen van de urgentie van de transactie en hem ertoe te brengen niet te beknibbelen op de kosten die met verzending per luchtpost gemoeid zouden zijn.

Toen het pakket uit Argentinië eindelijk zes weken later op zijn bestemming arriveerde, was Meneer Em niet thuis. Ook de huisbewaarster was niet in haar loge, want toen hij die avond thuiskwam vond hij een afhaalbericht onder zijn deur. Aangezien het al laat was moest hij wachten tot de volgende ochtend om zijn pakket in ontvangst te nemen, en hij vervloekte zijn huisbewaarster die de denkbeeldige keten die hem met Buenos Aires verbond, zo achteloos had verbroken. Alle andere schakels van de keten, van de vertegenwoordiger tot de postbode via het sorteercentrum, hadden hun taak vervuld. Allemaal, behalve zij. Toen hij die avond ging slapen was hij niettemin vervuld van hoop. Van de hoop weer drie flacons te hebben

bemachtigd, en van de hoop dat er nog andere zouden volgen.

De ochtend daarop begaf hij zich al vroeg naar het postkantoor aan de boulevard du Montparnasse, waar hij zijn
afhaalbericht overhandigde aan de loketbeambte. Nadat
deze het had gelezen verdween hij achter een deur en kwam
even later terug met een klein pakket in de hand. Het eerste wat Meneer Em dacht toen hij het pakje in het oog
kreeg was dat het model van dat pakje hem absoluut niet
beviel. Het had vierkant moeten zijn, rechthoekig eventueel, maar vanaf de plek waar hij zich bevond, had Meneer
Em er een eed op durven doen dat het meer de vorm had
van een piramide – ja, het leek piramidaal –, alsof het zich
qua model aanpaste aan de bouwwerken van de Azteken of
de Maya's – dat wist Meneer Em niet zo precies – in het
continent van herkomst. En zijn ongerustheid werd er niet
minder op, verre van dat, toen de beambte, een en al glimlach, hem meedeelde dat het lekker rook. Hoe dat zo, het
ruikt lekker? vroeg Meneer Em benauwd. Zou dat beteke-
nen dat er bij het vervoer een flacon was gebroken? En toen
hij vroeg of het pakket soms beschadigd was, beaamde de
beambte dat het inderdaad, ja helaas, niet heel was overge-
komen, en dat dat op het afhaalbericht vermeld stond.

Maar dat was Meneer Em ontgaan. En toch staat het er —
dáár —, zei de beambte, wijzend op het papier terwijl hij
vroeg of Meneer Em zo goed wilde zijn het ontvangstbe-
wijs te tekenen. En Meneer Em deed wat er van hem werd
verlangd, met tegenzin. Waarop niettemin de beloning
volgde, want de beambte stelde hem zijn pakje ter hand.
En inderdaad, het pakket rook lekker. Het rook naar *Musc*.
Door al zijn poriën en plantaardige ribbels walmde het
Musc uit. Wat een gruwelijke verspilling, dacht hij. Elke ve-
zel van die stomme verpakking is doordrenkt van *Musc* terwijl ikzelf er zo wanhopig naar snak. En toen de beambte
zag hoe verslagen Meneer Em eruitzag, vroeg hij of het
pakket was verzekerd, en of hij een schadeformulier wilde
invullen. Dit wekte Meneer Ems verontwaardiging, maar
toch zei hij niets. Hoe had hij de lichtzinnige kunnen uit-
leggen dat die flacon — want Meneer Em hoopte van ganser
harte dat de schade beperkt was gebleven tot alleen die ene
flacon — onvervangbaar was? Dus zei hij niets behalve
dank-u-wel, en liep het postkantoor uit met zijn geurende
pakket in de hand.

Thuis aangekomen ging hij regelrecht naar zijn kleedkamer, en daar begon hij zorgvuldig het pakje open te maken
waarvan het bovenste gedeelte tot harmonicaplooien was

ingedeukt. Toen het eenmaal open was steeg er zo'n sterke geur van *Musc* uit op dat het Meneer Em, die al maanden lang op rantsoen was, bijna te veel werd. Rondwoelend tussen de pagina's van de Argentijnse kranten die als opvulsel waren gebruikt, haalde hij er een gebroken flacon uit te voorschijn. Zenuwachtig stak hij opnieuw zijn hand tussen de verkreukelde kranten en kreeg nog een fles te pakken. Maar toen hij ermee in zijn handen stond drong het tot hem door dat het maar een halve flacon was. De derde kon Meneer Em niet eens terugvinden. Er kwam uit het pakje wel een stop te voorschijn op een kapotte hals, en een bodem van dik glas, maar de rest van de flacon was doodeenvoudig totaal verbrijzeld. *Disjecta membra*. Geen van de drie flacons had helaas de tocht over de Atlantische Oceaan overleefd.

Met vrome aandacht legde Meneer Em alle resten op de in marmeren grafsteen veranderde commode, haalde een voor een de geparfumeerde krantenpagina's uit het pakje, streek ze glad, legde ze systematisch op elkaar naast de scherven van de flacons, maakte de kartonnen doos plat en legde hem op de kranten. Toen hij klaar was met dit macaber ritueel ging hij voor zijn commode zitten en snoof tot verzadiging toe de balsemende geur van *Musc* op die het hele vertrek vulde. Daarna stond hij op, liep weg en deed de deur achter zich dicht, en maakte een briefje voor Mevrouw Cécile om haar dwingend te vragen alles te laten zoals het was.

10

Meneer Em vatte het Argentijnse fiasco op als een teken. Een goddelijke boodschap die hem sommeerde zijn queeste te staken en het lot niet langer te tarten. Heel even trouwens legde hij zich daarbij neer, en hij stond op het punt om te zeggen: Amen. Maar een moment later was hij weer net zo strijdbaar als tevoren en smeedde nieuwe plannen om zijn Graal in bezit te krijgen. Want, dacht hij bij zichzelf, zijn parfum mocht dan uit de handel zijn genomen, wat lette hem eigenlijk om het te laten maken, net zoals hij zijn kostuums en zijn overhemden al liet maken?

Dus hield hij op met het lezen van de wetenschappelijke werken over parfums en ging over op boeken over de cosmetische industrie, waarin hij de namen en adressen van vier Parijse parfumhuizen op het spoor kwam die op een bepaalde persoon afgestemde parfums maakten, op bestelling. Drie van die firma's behoorden tot de grote namen uit de bedrijfstak, en Meneer Em, die zijn ongelukkige ervaring met de Afdeling Klantenbinding (*sic*, zei hij bij zichzelf) van een ander concern van hetzelfde kaliber nog niet was vergeten, streepte die drie meteen weg en koos wijselijk voor een klein Huis, een soort familiebedrijfje, niet ver van de avenue George v in het achtste arrondissement.

Het Parfumhuis in kwestie had evenwel een onmiskenbaar Angelsaksisch klinkende naam, en Meneer Em, die het wantrouwen van zijn landgenoten jegens de Engelsen deelde, moest enige aarzeling overwinnen. Toch boezemde de naam, hoewel Engels, hem op etymologische gronden vertrouwen in. Toen hij, na zich te hebben gedocumenteerd, besefte dat voornoemde parfumeur al sinds de achttiende eeuw in Parijs was gevestigd, en toen hij via andere kanalen, aan de hand van zijn stug voortgezette lectuur, vernam dat dezelfde parfumeur een voorname prinses voor wie hij altijd bewondering had gehad, olfactorisch had gekleed, liet Meneer Em zijn reserves varen en schreef meteen een brief waarin hij verzocht om een afspraak om over de praktische modaliteiten van een parfumbestelling te praten. Vervolgens, na nog eens al zijn hoop op de post te hebben gevestigd, wachtte hij af.

Hij was het nu wel gewend om te wachten. Maar toen er vier weken later nog niets was gekomen wat op een antwoord leek, begon hij zich zorgen te maken, en daarna werd hij ronduit kwaad. Zeker, zei hij bij zichzelf, die parfumeur had gekroonde hoofden en een hele sleep andere beroemdheden onder zijn klanten. En zeker, voor zijn, Meneer Ems, naam ontbrak het voorzetsel dat voorkomt in adellijke titels, en die naam zelf trouwens was monosyllabisch. En, o zeker, al evenmin kon hij bogen op enige roemrijke daad: het beroep van spion legt nu eenmaal verplichtingen op. Maar was dat voldoende reden om hem zo te negeren? Was zijn brief soms niet geschreven – en in een zeer elegante stijl, trouwens – op gevergeerd en bedrukt papier dat hij betrok bij een eerbiedwaardige zaak in de rue du Faubourg Saint-Honoré? En bleek daaruit al niet dat hij een, o zeker, onopvallend man was, maar wel een man van standing? Zo bracht hij zichzelf het hoofd op hol, zijn Gallische bloed kookte, en het duurde niet lang of hij spuwde zijn gal uit over het perfide Albion, waarbij hij even vergat dat hij zich er een maand tevoren van had vergewist dat de parfumeur in kwestie ondanks zijn Britse naam al twee eeuwen lang Frans was. Zijn misnoegen was zo groot dat hij het zichzelf eigenlijk verweet ooit een brief te hebben gericht aan een Parfumhuis naast een groot hotel dat de naam droeg van een Engelse monarch en dat bovendien was gelegen aan een naar een andere Engelse monarch genoemde avenue.

Dus zocht hij zijn heil bij een groot concern en liet, gedragen door zijn patriottisch vuur, zijn keuze vallen op een Parfumhuis met een zeer Franse naam dat sinds jaar en dag was gevestigd aan een verkeersader vernoemd naar een monarch die Franser was dan Frans.

En ditmaal stuurde Meneer Em geen brief, met of zonder briefhoofd. Hij besloot niet te schrijven, de unilaterale methode waaraan het nadeel kleefde dat hij genoodzaakt was te wachten, maar opteerde voor de bilaterale en belde op. Hij wenste meteen te weten waar hij aan toe was. En dat gebeurde ook, want hij kreeg meteen een afspraak.

Twee dagen later bevond hij zich dus, evenals het monster van *Musc* dat hij wilde laten namaken, 's morgens in een comfortabele stoel in een luxueus jarendertigkantoor, met tegenover zich een efficiënt optredende jongedame die hem helaas wat al te zeer deed denken aan de bewuste Meneer Bertoux, die hij toch nooit had ontmoet. Maar toen voornoemde jongedame, ene Mevrouw La Grandière, haar assistente via de huistelefoon liet weten dat ze niet meer gestoord wilde worden, ontspande Meneer Em zich en dacht bij zichzelf dat hij in goede handen was.

'En waarmee kan ik u van dienst zijn, meneer?' vroeg ze nadat ze had opgehangen.

'Ik zou graag een eau de toilette willen laten maken, mevrouw, en ik meen begrepen te hebben dat uw Huis op bestelling parfums maakt.'

'Dat is juist, dat doen we inderdaad wel, hoewel tegenwoordig nog maar tamelijk zelden. Zelden, want een parfum op maat, een exclusief parfum, daar hangt een prijskaartje aan.'

'Dat begrijp ik volkomen,' zei Meneer Em, 'en ik ben trouwens bereid er duur voor te betalen.'

'U moet uitgaan van een basisbedrag van tweehonderdduizend franc.'

'Ja ja, dat begrijp ik', zei Meneer Em, met het air van iemand voor wie geld geen rol speelt. 'En voor een parfum op basis van natuurlijke ingrediënten veronderstel ik dat...'

'Voor natuurlijke producten moet u rekening houden met een tikkeltje meer. Maar de prijs blijft in dezelfde orde van grootte... Om u een indruk te geven, een kilo ruwe grijze amber kost ongeveer negentigduizend franc, een kilo absolu de concret van jasmijn ongeveer honderdduizend franc, en een kilo absolu van iris doet ongeveer driehonderdvijftigduizend franc... Weet u ongeveer welk soort parfum u wilt dragen?'

'Heel precies, mevrouw', zei Meneer Em terwijl hij de flacon *Musc* uit de binnenzak van zijn jasje haalde. 'Ik heb hier een voorbeeld van de eau de toilette die ik altijd gebruik en die helaas niet meer wordt gemaakt, en ik zou graag dezelfde hebben.'

'Ik ken *Musc*', zei de jonge vrouw terwijl ze de flacon aanpakte die Meneer Em haar aanreikte. 'Het Parfumhuis in Grasse dat het parfum heeft ontwikkeld is in andere handen overgegaan, geloof ik... Maar als ik me niet vergis bestaat *Musc* nog steeds.'

'Helaas, het is niet meer dezelfde *Musc*, mevrouw', zei Meneer Em met een zucht. 'Dit parfum is op basis van natuurlijke muskus, terwijl het nieuwe op basis van langs synthetische weg verkregen muscon wordt vervaardigd.'

'Maar synthetische muscon benadert exact de natuurlijke muskus.'

'Het is niet hetzelfde', wierp Meneer Em tegen. 'Het parfum is veranderd... Neemt u dat maar van me aan... Ik gebruik het al... Al jaren', zei hij ten slotte, niet zonder koketterie.

'Ach zo', zei de jonge vrouw, die zich een beeld begon te vormen van de persoon die ze voor zich had. 'En u zou dus graag de *Musc* willen blijven dragen die u altijd hebt gedragen.'

'Precies, mevrouw', zei Meneer Em, die onmiddellijk de reddende hand greep die hem werd toegestoken. 'Ik zou graag ditzelfde parfum hebben, en wel een voldoende hoeveelheid – een onbeperkte hoeveelheid.'

'Helaas,' zei ze, ruw de toegestoken hand terugtrekkend, 'dat zal niet gaan, vrees ik.'

'Ik weet dat natuurlijke muskus kostbaar is,' onderbrak Meneer Em haar, 'maar, zoals ik al zei, ik ben bereid de prijs te betalen die ervoor staat.'

'Ik geloof u op uw woord, meneer, ik geloof u… Maar het is niet werkelijk een kwestie van prijs… Het is meer een kwestie van imago.'

'Ik begrijp niet wat u bedoelt…'

'Ziet u, meneer, hoewel het niet meer wordt gemaakt wordt dit parfum nog altijd beschermd door de merkenwet en de patentrechten. Toen ons concern het Parfumhuis overnam waar *Musc* werd gemaakt, is het ook eigenaar geworden van *Musc*. Weliswaar rust er geen octrooi op de receptuur en het massaspectrum van *Musc*, want deze moeten in principe geheim blijven, en ook al kunnen we een parfum heel nauwkeurig namaken dankzij de chromatografie, een Parfumhuis als het onze kan het zich werkelijk niet veroorloven het product van een concurrent te imiteren, erop te parasiteren. Dat zou ons imago schaden.'

'Dat geldt zelfs voor een parfum bestemd voor één enkele persoon?' vroeg Meneer Em ongerust.

'Helaas is dat het geval', zei de jonge vrouw spijtig. 'Op

een bepaalde manier zouden we ons dan schuldig maken zo niet aan namaak, dan toch aan imitatie. En voor een imitatie zou u naar Azië moeten – naar Maleisië, bijvoorbeeld.'

'Zelfs voor een naamloos parfum?' vroeg hij benauwd.

'Helaas, ja', zei ze, vol medeleven. 'Uiteraard zouden we met de nieuwe eigenaren in onderhandeling kunnen gaan om de formule over te nemen', voegde ze eraan toe. 'Maar ik betwijfel of ze tot verkoop bereid zouden zijn… En bovendien', vervolgde ze, terwijl ze trachtte niet naar Meneer Em te kijken zoals een jonge vrouw naar een oude man zou kijken, 'zou daar enorm veel tijd mee gemoeid zijn.'

En tijd, dacht Meneer Em, is nu precies wat ik niet heb.

'Maar we kunnen u wel iets anders bieden,' voegde ze er behulpzaam aan toe, 'namelijk om voor u een parfum van natuurlijke muskus te maken op basis van een formule van ons, en ik kan u verzekeren dat zo'n parfum *absoluut niet* van *Musc* te onderscheiden zou zijn.'

'Absoluut niet te onderscheiden', herhaalde Meneer Em op verstrooide toon.

'Absoluut niet', bevestigde Mevrouw La Grandière. 'Het parfum dat we voor u zullen maken, en voor u alleen, zal *exact* dezelfde geur hebben als de *Musc* die u hier hebt. Hetzelfde volume, dezelfde kracht, dezelfde oplosbaarheid en dezelfde vluchtigheid. *Niemand* zal het verschil opmerken.'

'Niemand zal het verschil opmerken', herhaalde Meneer Em op dezelfde doffe toon.

'Zelfs u niet!'

'Zelfs ik niet', bauwde Meneer Em haar na.

'Maar toch vrees ik echt', vervolgde ze, wat van inzicht getuigde, 'dat dat voor u niet voldoende is.'

Ze heeft gelijk, dacht Meneer Em, terwijl hij opstond om afscheid te nemen. Het zal niet voldoende zijn. Want wat kon het hem schelen dat het nieuwe parfum dat hem nu in het vooruitzicht werd gesteld, *exact* hetzelfde zou ruiken als zijn *Musc*? En wat kon het hem ook schelen dat iedereen zou denken dat het hetzelfde parfum was? Hij wilde wéten dat het hetzelfde was, daar ging het hem om. Hij wilde niet *geloven*, maar *weten*. Weten, dat is wat hij nodig had.

In de taxi die hem terugbracht naar huis was Meneer Em, die het hoofd nog steeds niet in de schoot had gelegd, alweer bezig krijgslisten te ontwerpen om de merkenwet te omzeilen en een kloon van zijn *Musc* te bemachtigen. Hij zag al voor zich hoe hij in Kuala Lumpur stevig zou onderhandelen met door de Franse opsporingsdienst gezochte specialisten in namaak, hoe hij vervolgens op het eiland Penang, voor het schiereiland Malakka, zou discussiëren met chemici die verdovende middelen maakten en die wel bereid zouden zijn zich in hun vrije uurtjes aan de muskus te wagen, als hij het tenminste met hen eens kon worden over de prijs. Hij was de oom Oswald uit het boek van Roald Dahl. Net zoals oom Oswald vroeger in Marseille de boot naar Alexandrië had genomen, en daarna de trein van Alexandrië naar Khartoem, zo zou hij in Parijs op het vliegtuig naar Moskou stappen, en vandaar op de trein – de trein waarvan hij op de kaart zo precies wist waar hij liep – naar Doesjanbe. Oom Oswald was naar Afrika gegaan op zoek naar de *cantharis vesicatoria sudanii* – de blaartrekkende goudglanzende groene kever die zijn bestaan dankt aan de bladeren van de hasjab –, hijzelf zou naar Centraal-Azië gaan op zoek naar muskus waarvan het bestaan te danken is aan het libido van het muskushert. Oom Oswald was in Europa teruggekomen mét zijn kostbare natuurlijke cantharidine, en hijzelf zou thuiskomen met zijn al even natuurlijke muskusessence.

Toch wist Meneer Em diep in zichzelf heel zeker dat al die plannen alleen in zijn fantasie bestonden, net als de oom Oswald van Roald Dahl aan fantasie was ontsproten. En hij wist ook dat Mevrouw La Grandière gelijk had: hij zou geen genoegen nemen met *exact* hetzelfde parfum als *Musc. Musc* moest het zijn. Dat het Parfumhuis dat *Musc* maakte nooit was verkocht, dat had hij eigenlijk gewild. Hij had gewild dat *Musc* nog steeds op basis van natuurlijke muskus werd gemaakt. Bovenal had hij gewild dat er nooit iets was veranderd aan de flacon en de verpakking van *Musc*. Maar het was te laat. Het Parfumhuis dat *Musc* maakte was onherroepelijk verkocht, de receptuur van *Musc* was onherroepelijk veranderd, en de flacon en de verpakking van *Musc* waren al even onherroepelijk vervangen. Niets zou ooit nog zijn zoals vroeger. Na lange tijd te hebben geleefd in weten, in zekerheid, werd er nu van hem verlangd dat hij leefde in geloven. Nu werd een akte van geloof van hem verlangd. En die had hij niet in huis.

Bij thuiskomst lag er een envelop met de naam en het logo van de Parijse parfumeur met de zo Engelse naam op hem te wachten. Uiteindelijk hadden ze dus toch geantwoord. Maar Meneer Em, die zich een paar uur eerder op die brief zou hebben gestort, nam niet eens de moeite hem open te maken. Want zijn besluit stond al vast.

11

Meteen toen hij had besloten zijn queeste te beëindigen, raakte Meneer Em in de greep van de angst die zijn oorsprong vindt in schaarste. Hij was negenenzestig jaar en zijn levensverwachting was tweeëntachtig. Daar stond tegenover dat hij over nog geen vier liter — en nog geen drie jaar — *Musc* beschikte. De conclusie was onontkoombaar: hij moest zijn verbruik tot elke prijs met een derde à een kwart verminderen om het zo lang mogelijk met *Musc* uit te zingen. Dat was de prijs die voor de redding moest worden betaald.

Wat er vervolgens gebeurde valt niet zo eenvoudig uit te leggen. In de daaropvolgende maanden bracht Meneer Em zijn dagelijkse rantsoen *Musc* inderdaad met meer dan de helft terug, maar het gevolg hiervan bleek dat zijn hele wezen verpieterde. Wat was begonnen als de zonde van een ijdeltuit die niet oud wilde worden, ontwikkelde zich nu tot een existentiële tragedie. Hoe kleiner het parfumrantsoen werd dat Meneer Em zich toestond, hoe meer hij zijn wezen en zijn plekje op deze wereld voelde inkrimpen, als een huid van chagrijn. *Musc* had hem een geur verschaft met een bereik *n*, en nu was die geur $n/2$, zo niet $n/3$. En morgen misschien wel $n/4$. De geur van Meneer Em smolt sneller weg dan hijzelf, net zoals vroeger het erfgoed van zijn ongetrouwde oudoom. Voortaan leefden zijn geur en hij niet meer in hetzelfde ritme. Tot dusverre had zijn geur hem gedragen, maar kijk, nu viel die geur weg, zoals de wind wegvalt en het zeilschip tot stilstand brengt, zoals de nacht invalt en een zonnepaneel buiten werking stelt. De geur van Meneer Em viel weg, en opeens had Meneer Em geen energie meer.

De eerste effecten van dat energiegebrek deden zich voelen bij Eve. Tot dan toe was Meneer Em, ondanks de jaren, een vurig minnaar geweest. Een minnaar die zijn eigen lichaam vergat en alleen het lichaam van de ander zag. Tot die tijd had hij wanneer hij naar Eve had gekeken die naar hem keek, in de ogen van Eve niet zozeer zijn eigen lichaam gezien maar de begeerte van Eve. Nu niet meer. Wanneer hij nu met Eve was, zag hij niet langer het lichaam van Eve — het lichaam van een vrouw van amper vijftig —, maar het zijne: het lichaam van een oude man die binnenkort zeventig zou zijn. Opeens had zijn lichaam, dat tot dan toe was opgegaan in *Musc* en in de begeerte, zichtbare en tastbare contouren gekregen. Contouren die Meneer Em niet bevielen. En omdat hij niet langer van zichzelf hield, begreep hij niet hoe Eve nog van hem kon houden en hem kon begeren. Zijn ogen, die tot dan toe in de schemering van de hotelkamer alleen maar vormen en schaduwen in halftinten hadden waargenomen, zagen plotseling even scherp als de ogen van een kat. Hij zag nu dingen die hij nooit eerder had gezien. Er vielen hem details op waarvan hij het bestaan niet kende: de plooien in zijn buik die zich aftekenden als rode strepen wanneer hij zich over Eve heen boog, zijn gerimpelde tors, het slappe vlees van de armen waarop hij steunde, het witte okselhaar, en de talloze bruine vlekjes — even zovele grafbloempjes — waarmee zijn handen en onderarmen bezaaid waren en die allemaal duidden op het ontbindingsproces dat al bezig was zich in hem te voltrekken. Als de luiken open waren geweest en de lichten aan, dan had Meneer Em alles niet scherper waargenomen en ontleed.

Op een dag deed hij dus de zware, stoffige gordijnen dicht die nooit dienst hadden hoeven doen en er alleen maar waren om het bed in *style Pompadour* tot zijn recht te laten komen, maar die maatregel bood maar voor korte tijd soelaas. Beetje bij beetje raakten zijn ogen gewend aan deze nieuwe duisternis. En geleidelijk aan onderscheidde hij dezelfde details die hij zo graag had willen verdonkeremanen. En hoe bewuster hij zich van zijn lichaam werd, hoe amechtiger zijn geslacht werd. En hoe amechtiger zijn geslacht werd, hoe meer hij dacht aan zijn erectie.

Tot die tijd was Meneer Em, zoals het een gentleman betaamt, er altijd op uit geweest zijn partner volledige bevrediging te schenken, dat was hij aan zijn reputatie verplicht. Nu niet meer. Nu moest hij in de eerste plaats presteren, dat was hij aan zijn imago verplicht. Ongemerkt gleed hij dus van de langdurige vrijpartijen af naar de vluggertjes waarin het er vooral om ging hem omhoog te krijgen, en te penetreren. En even ongemerkt gleed hij van de naakte liefde, die voor hem onverdraaglijk was geworden, af naar seksueel contact waarbij hij geheel gekleed bleef, of bijna. Zijn seksualiteit, waarbij tot dan toe zijn hele lichaam betrokken was geweest, bleef nu beperkt tot alleen zijn mannelijkheid, en hoe meer dat het geval was, hoe minder mannelijk die mannelijkheid was.

En op een dag werd het hem te veel en gaf Meneer Em de hotelkamer op die al jarenlang onderdak bood aan zijn geheime liefdes. Hij brak met de traditie en nodigde Eve bij hem thuis uit, waar hij de liefde met haar bedreef op de divan, in zijn garderobe. Daar waar de gewijde geur nog alomtegenwoordig was. Maar het hielp niet. Ook al deed Meneer Em nog zo zijn best om aan het geurfetisjisme het zelfvertrouwen te ontlenen waaraan het hem tegenwoordig ontbrak, de barst zat er nu eenmaal. En zou niet meer gelijmd worden.

Het daglicht dat door de jaloezieën naar binnen viel, de spiegels waarin hij zichzelf aan alle kanten in zijn volle lengte weerspiegeld zag, en zelfs de gebroken flacons en de Argentijnse kranten op de ladekast, alles was aanwezig om hem eraan te herinneren. Van muskushert in gevangenschap was Meneer Em ontmand muskushert geworden. Dus, omdat hij alleen nog zichzelf kon zien, hield Meneer Em op Eve te zien.

Wanneer Meneer Em zichzelf in zijn spiegel bekeek, deed hij dat tot die tijd om zich te scheren, om zijn haar te kammen, zijn dasknoop in orde te brengen, om te controleren of zijn vest – en zijn gulp – wel goed dicht was en, meer in het algemeen, om zichzelf goede cijfers te geven. Nu niet meer. Nu ging Meneer Em poedelnaakt voor zijn spiegel staan, en wanneer hij naar zichzelf keek nam hij, voor een zowel mondaine als kinesthetische taxatie, niet langer een totaal in ogenschouw, maar details. Pijnlijke details. Zijn wangen, die tot dan toe onderdeel waren geweest van het scheren, waren ingevallen; zijn haar, dat hij had beoordeeld op grond van de netheid van zijn kapsel, was grijs en dun; zijn hals, die achter zijn boord en das onzichtbaar was geweest, was slap; zijn buik, die door de goede snit van zijn jasje altijd gecamoufleerd was geweest, was bol, en zijn benen, aan het oog onttrokken door het sierlijke zwieren van de pantalon, bleken vel over been.

Lange tijd was huid voor Meneer Em hetzelfde geweest als scheren, haar als kapsel, hals als boord, buik als jasje, benen als broek, voeten als schoenen en handen als handschoenen. En dat was mogelijk geweest omdat zijn geur, zoals alle geuren, een eigen topografisch imago en een beeld – een driedimensionaal beeld – bezat. Zolang hij dat imago van zijn geur had gehad, en zolang hij dat op de anderen en op zijn spiegel had kunnen projecteren, had hij zich weinig gelegen laten liggen aan zijn fysieke imago, aan zijn visuele imago dat wél verouderde en er niet fraaier op werd. Zolang het imago van zijn geur stabiel, duurzaam en naar believen hernieuwbaar was geweest – tijdloos, dus eigenlijk –, waren hem noch zijn kaalheid noch zijn kraaienpoten noch zijn dooraderde handen noch zijn knokige vingers noch zijn gebogen rug opgevallen. De anderen trouwens ook niet, volledig in de ban als ze, meende hij, waren van zijn geur en zijn geurbeeld. Maar doordat hij nu wel genoodzaakt was met beleid om te gaan met zijn voorraad *Musc* en er een spaarzaam gebruik van te maken, beperkte zijn tot dusverre onveranderlijke geurbeeld zich voortaan tot de contouren van zijn vleselijk omhulsel, dat wel veranderlijk was — en, helaas, al sterk veranderd. Voor het eerst in zeer lange jaren zag Meneer Em zichzelf, meer dan dat hij zich voelde. En als hij zichzelf zag, voelde hij zich oud. Hij viel uiteen, zoals Dorian Gray bij zijn portret dat hij zojuist had vernietigd. Alsof de tijd, waarvan hij de voortgang zo lang had weten uit te stellen met behulp van veel geurexsudaties, zich plotseling weer in beweging zette, en dat in versneld tempo; de verloren tijd moest nu eenmaal worden ingehaald. En algauw, over amper een jaartje of drie, als hij door de reservevoorraad *Musc* heen was, zou zijn visuele beeld zijn geurbeeld definitief verdringen. De anderen zouden zijn vroegere geur vergeten, en dan zou er van Meneer Em alleen nog een oud baasje over zijn. Nog even en zijn olfactorisch DNA zou onherroepelijk veranderen. Dat deed het al, trouwens. Daar had een alchimist voor gezorgd die zichzelf aan een multinational had verkocht. Meneer Em, die tot dusverre naar de anderen toe lokstoffen gedrenkt in een flinke scheut androsteron en *Musc* had afgegeven waarmee hij zorgeloos en royaal was omgesprongen, zou voortaan alleen nog de geurstoffen van de angst afgeven.

Hoewel hij in grote ontreddering verkeerde hield Meneer Em zich op het oog toch kranig, en tegenover de buitenwereld — wie het een zorg zou zijn, maar dat wist hij niet — trachtte hij de schijn op te houden door nog meer aandacht te besteden aan zijn uiterlijk en de details van zijn kleding, in een poging de fragiliteit van zijn geurbeeld te compenseren door een versterking van zijn visuele beeld. Hij dreef de pietluttigheid zelfs zo ver door dat hij een van zijn jasjes voortaan in de kast liet hangen omdat zijn kleermaker bij vergissing had nagelaten aan de achterkant van de revers het lusje aan te brengen dat bedoeld is om de steel van een in het knoopsgat gestoken bloem op zijn plaats te houden. Niet dat Meneer Em ooit een roos of een anjer droeg. En niet dat dat bewuste lusje voor iemand zichtbaar was. Maar Meneer Em had al last van wat wel eens 'betrekkingswaan' wordt genoemd. Zijn serotoninegehalte was plotseling met verontrustende hoeveelheden verminderd, en omdat het hem aan zelfvertrouwen ontbrak, verbeeldde hij zich vaak dat de mensen hem aanstaarden en dat ze de kleinste onvolkomenheden in zijn uiterlijk opmerkten.

Zeker, het was niet de eerste grote crisis in het volwassen leven van Meneer Em. Maar nog nooit eerder had hij zich zo belaagd gevoeld, zonder ook maar ergens een plaats waar hij zich kon terugtrekken. Immers, in het verleden was Meneer Em wanneer zijn stellingen aan het wankelen waren gebracht, volkomen vanzelfsprekend teruggevallen op zijn harde kern van spion; een harde kern die verborgen was en vooral daardoor, zo meende hij, wel buiten schot zou blijven.

Zolang zijn carrière als krijgsman in een schaduwleger had geduurd, had Meneer Em bij zichzelf gezegd dat, al had hij de schijn tegen, en wat de mensen ook mochten denken, hij altijd *meer* zou zijn dan op het eerste gezicht leek. En aan de diepe overtuiging dat hij zowel bij de zichtbare wereld om zich heen hoorde als bij een andere wereld die daarnaast bestond, een schijnwereld waarin een schaduwspel werd gespeeld, aan die overtuiging had hij een sterk gevoel van superioriteit ontleend ten opzichte van de mensen met wie hij in het dagelijks leven te maken had, in de eerste plaats zijn collega's van de UICF, die inderdaad niets méér waren dan gewoon maar beambten van gewoon maar een spoorwegbond. Lange tijd had Meneer Em de gave van de alomtegenwoordigheid gehad. Alomtegenwoordigheid in de ruimte, uiteraard, waardoor hij in staat was geweest zich in het hoofdkantoor van de UICF te bevinden én bij de Piscine aan de andere kant van de stad; maar ook alomtegenwoordigheid in de tijd. Want de wereld der spionnen is niet uitsluitend een schaduwspel waarin schijngestalten optreden. Het is ook een wereld van plannen, schetsen, projecten en eventuele mogelijkheden. Het is een wereld waarin aan de toekomst wordt gewerkt en die toekomst al wordt beleefd. Lange tijd had Meneer Em met een been in de toekomst gestaan en met het andere in het heden. Lange tijd had hij eigenlijk deel uitgemaakt van een wordingsproces. En zoals een zwangere vrouw die, gesterkt door de toekomst die ze in zich draagt, over straat zou gaan in de zekerheid dat ze uitsluitend nobele gevoelens en welwillende blikken zal uitlokken, zo was Meneer Em door het leven gegaan met de zelfverzekerdheid van degenen die, in het besef dat ze de toekomst in zich dragen, precies daaraan het gevoel ontlenen dat het heden geen vat op hen heeft. Maar helaas, hij was spion af.

Niettemin bleef hij door zeer streng op zijn kleding te letten zijn ellende verbergen, maar uiteindelijk werd hij er toch door ingehaald. Het eerste zichtbare teken van zijn teloorgang trad aan het licht toen hij op een dag vergat zijn befaamde paraplu mee te nemen. Niet dat die nalatigheid op zichzelf van belang was, want het was die dag het mooiste weer van de wereld, en Meneer Em stak zijn paraplu hoe dan ook nooit op. Maar niet van elk belang ontbloot was het voorval in die zin dat Meneer Em besefte dat het lopen hem niet zo gemakkelijk afging. In feite was het zojuist tot hem doorgedrongen dat zijn paraplu een wandelstok was geworden.

Toen kwam de dag waarop hij zijn gymnastiekoefeningen liet schieten. En de dag waarop hij naar buiten ging zonder zijn hoed. En de dag waarop hij zijn das en zijn sokken koos zonder erbij na te denken, zonder echt te kiezen. En de dag waarop hij een overhemd en een onderbroek droeg die niet bij elkaar pasten en niet van dezelfde stof waren gemaakt. Meneer Em verwaarloosde zichzelf. Hij verwaarloosde zichzelf, als wilde hij dat zijn openbare visuele beeld eindelijk aansloot bij zijn privé visuele beeld en zijn verzwakte geurbeeld. En de dag brak aan waarop hij bij zichzelf dacht dat al die dingen niet langer van werkelijk belang waren. Hij voelde zich *geont-organiseerd*, *geont-ordend*. Hij paste niet meer in de orde der dingen. In de orde van het heelal. In de kosmos. Want hij wist nu dat *kosmos* een Grieks woord is dat orde betekent. En hij wist ook dat cosmetiek — dus parfum, dus *Musc* — van kosmos is afgeleid. En zonder zijn cosmetisch middel wist Meneer Em niet meer hoe hij nog kosmisch zou kunnen zijn. Voortdurend zag hij zich genoodzaakt aan zichzelf te voelen om zich ervan te vergewissen dat hij nog bestond. En hij ontwikkelde de kwalijke gewoonte om aan zichzelf te ruiken. In het openbaar. En omdat hij zich daar enigszins voor schaamde, werden de keren dat hij zijn huis uit ging steeds zeldzamer. Van nu af aan bracht hij steeds minder tijd buiten door en steeds meer tijd in zijn eigen huis, waar een sterke muskusgeur hing. Die geur, waarvan hij zich tot dan toe met ruime hand had bediend om zich in de buitenwereld te manifesteren en te profileren, bewaarde hij nu voor zichzelf. Die geur was zijn cocon geworden.

En in zijn cocon kwam Meneer Em op een dag een krantenartikel tegen waarin uit de doeken werd gedaan dat de maatschappelijke status van mannetjeskakkerlakken afhankelijk was van de geur die ze afgaven. En in datzelfde artikel werd verteld dat, door die door de mannetjes afgegeven geuren te manipuleren, geleerden erin waren geslaagd ze op de maatschappelijke ladder te laten stijgen of dalen en ze meer of minder aantrekkelijk te maken voor de vrouwtjes. Meer hydroxy-butanon reduceerde een dominant mannetje tot een kneus. Meer methylthiazolidine of meer ethyl-methoxyonhenol maakte een outcast tot dominant. Bij de kakkerlakken lag de sleutel tot het geluk kennelijk bij *2 hydroxy-2 butanon + 2 methylthiazolidine + 4 ethyl-2 methoxyonhenol*. En bij Meneer Em was lange tijd *x + 4 ml Musc* de sleutel geweest tot geluk. Wel, op dat moment was zijn chemische formule nog maar *x + 2 ml Musc*. En het zou niet lang meer duren of ze zou alleen nog maar *x* zijn.

Jarenlang had Meneer Em met de anderen – en in het bijzonder met vrouwen – gecommuniceerd via die chemische formule, die zijn handelsmerk was geworden; die formule kwam hem rechtens toe. Meneer Em stelde zich voor dat de collega's van Alain Bertoux stoeiden met de bestanddelen waaruit zijn chemische formule bestond en daaraan hetzelfde gevoel ontleenden een goed werk te doen als de wetenschappers die aan de chemische formule van de mannetjeskakkerlak sleutelden. En hij die de dood als zijn oude zelf tegemoet had willen treden en er een sprong van had willen maken die kwaliteit had en geheel los zou staan van zijn leven van de vorige dag, besefte nu dat hij in die opzet niet zou slagen, dat hij bezig was te verkommeren, en dat hij van nu af aan met penibele, kwantitatief meetbare pasjes op weg was naar de dood.

Hij verwijnde, en hij had wel iets van een mannetjeskakkerlak die plotseling een overdosis hydroxy-butanon toegediend had gekregen. En door de wetenschap dat zijn reukharen het enige stukje van zijn lichaam waren dat zich desondanks bleef vernieuwen – om de vierentwintig uur kwamen er weer nieuwe bij, in hun neusholte –, werd de zaak alleen maar nog ironischer.

12

Deze teloorgang — want dat was het wel degelijk — duurde een paar maanden. Tot op de dag waarop het tot Meneer Em doordrong dat aan zijn traditionele gebaar in de richting van de begraafplaats du Montparnasse de laatste tijd alle aplomb en ook ware overtuiging ontbraken. Dat het een zo automatisch, zo werktuiglijk gebaar was geworden dat er geen opgestoken middelvinger meer in te herkennen viel en het tegenwoordig meer weg had van een stuiptrekking dan van een uiting van mannelijkheid.

Waaraan dat plotseling herwonnen zelfinzicht te danken was, valt moeilijk met nauwkeurigheid te zeggen. Misschien was zijn blik die ochtend afgedwaald naar het twaalfde vak van de begraafplaats, waar hij ooit zijn vader had begraven. En misschien had hij, door het graf van zijn vader, wel aan zijn oudoom gedacht, een vrijgezel net als hijzelf. Of misschien was het de etymologie van het woord *cosmetica*. Hoe het ook zij, er gebeurde iets in hem. Het leek of hij opeens het licht had gezien. Voor het eerst in maanden kwam zijn ziel tot rust. Ja, tot rust. En meteen pakte hij zijn heilgymnastische oefeningen weer op. Dat was trouwens niet het enige wat hij die dag deed. Hij zong onder de douche, en kleedde zich met de grootst mogelijke zorg. Eigenlijk met een beetje te veel zorg, want die ochtend trok hij, letterlijk, zijn zondagse kleren aan, hij dofte zich zelfs wat al te uitbundig op, zoals iemand die nog tot voor kort in ontbering had geleefd. Maar wat het belangrijkste was — het belangrijkste —, Meneer Em besprenkelde zich royaal met *Musc*, zonder op de hoeveelheid te beknibbelen. Daarna ging hij de deur uit met zijn hoed op het hoofd en zijn paraplu in de hand.

Na aan zijn stamtafel in La Rotonde te hebben ontbeten, ging hij de in de wijk gevestigde makelaars langs, totdat hij gevonden had wat hij zocht, in de buurt van het Hôpital Cochin. De vitrine van het kantoor Evrard en Zn. (opgericht in 1945) was behangen met advertenties gevat in houten lijsten en uitgevoerd in gotische letters, op een gelige papiersoort die middeleeuws probeerde te lijken. Aan alles was gedacht. Zelfs de randen van het papier deden door de tekening aan perkament denken, en deze Onderneming met Beperkte Aansprakelijkheid gebruikte een rode lakzegel als stempel. Binnen waren de muren bekleed met eiken

schrootjes, en een steenkleurig linoleum fungeerde als te-
gelvloer. Achter in de ruimte celebreerde een eenzame
heer, waarschijnlijk Evrard Zn., achter een kolossaal neo-
gotisch bureau. De hele omgeving noodde tot stilte en in-
keer. Even waande men zich in een rouwkapel – ofwel in
het filiaal van de naburige begrafenisonderneming. En dat
was allemaal niet zomaar. Want dit makelaarskantoor was
niet zomaar een makelaarskantoor. Dit kantoor was gespecialiseerd in lijfrenteovereenkomsten. Vandaar de strate-
gisch gekozen locatie, vlak bij het ziekenhuis; om de regelmatige bezoekers van Cochin eraan te herinneren dat het
noodlot elk moment kon toeslaan, en dat goede medische
zorg schrikbarend duur was. Vandaar ook dat voor dit haast
religieuze interieur was gekozen; om de eventuele kopers
er subtiel op de wijzen dat hun verkopers al met een been
in het graf stonden en dat de stap van het tekenen van de ver-
koopakte naar het sacrament der stervenden snel was gezet.

Toen hij naar het bureau liep voelde Meneer Em wel dat
de officiant hem taxerend opnam, alsof hij probeerde te berekenen hoe oud hij was en wat statistisch gezien zijn levensverwachting zou zijn. Pas nadat hij zijn onderzoek had
afgesloten ontvouwde hij zich traag – Evrard Zn. was even
lang en dun als zijn kale schedel spits – en gaf hem al even
traag een klamme hand die precies in overeenstemming

was met zijn groenige gelaatskleur. Meneer Em, die niet goed wist of hij dag-meneer of vrede-zij-met-u moest zeggen, mompelde iets onverstaanbaars en nam plaats in de stoel die hem werd aangeboden.

Evrard Zn. sprak even traag als hij zich bewoog. In antwoord op de vraag wat er van Meneer Ems dienst was, verklaarde deze dat hij zijn appartement aan de boulevard Edgar Quinet in bewoonde staat wenste te verkopen, tegen vergoeding van een lijfrente. Nadat hij op zijn dooie gemak een nieuwe dossiermap had gekozen en geopend, en Meneer Em alle informatie had ontfutseld die hij noodzakelijk achtte, kreeg Meneer Em uiteindelijk van hem te horen dat hij sinds zijn tiende jaar woonde in een fraaie-vijfkamer-flat-honderdvijftig-m^2-mooi-gelegen-representatief-gebouw-uitgevoerd-in-natuursteen. De afdeling makelaardij o.r. van Evrard Zn. taxeerde vervolgens het appartement op drie miljoen, daarna stelde de afdeling gespecialiseerd in verkoop-met-lijfrenteclausule Meneer Em er plechtig van op de hoogte dat hij, gezien zijn jeugdige leeftijd *(sic)*, een bedrag tegen contante betaling van vijfhonderdduizend franc tegemoet kon zien en een maandelijks uit te betalen lijfrente van negenenvijftighonderd franc. Maar in tegenstelling tot Evrard Zn. had Meneer Em wel haast, en hij zei dat hij graag met minder genoegen zou nemen als de

zaak dan tenminste snel rond kon zijn. Na te hebben toege-
zegd dat hij zijn uiterste best zou doen, ontvouwde Evrard
Zn. zich nogmaals traag, en al even traag bracht hij Meneer
Em naar de deur en liet hem gaan in de vrede des Heren.

Evrard Zn. bewoog zich dan misschien traag, maar hij was
snel. Drie dagen later belde hij Meneer Em inderdaad op
met de mededeling dat hij een serieuze gegadigde had die
het appartement wenste te bezichtigen. Waarop het Meneer
Ems beurt was om hem met vragen te bestoken, want hij
wilde alles over de eventuele koper weten. En toen hij vernam dat het ging om een jong echtpaar met een pasgeboren
baby, zei hij nee — nee, hij had geen belangstelling. Evrard
Zn. was verrast. Hij drong evenwel niet aan en ging weer
op jacht. Maar nadat hij erin was geslaagd om twee andere
klanten te strikken — ook weer echtparen, in feite — die Meneer Em beide achtereenvolgens afwees zelfs zonder ze
maar te hebben ontmoet, begon hij wat twijfels te krijgen.
   'Wat zoekt u dan eigenlijk precies?' vroeg hij op een dag
dat Meneer Em langskwam op het kantoor.
   En toen deze zei dat hij graag zou zien dat zijn appartement in handen kwam van een vrijgezel, vroeg Evrard Zn.
zich af of hij op zoek was naar een koper of naar een levens-
gezellin of -gezel, en of hij nog wel helemaal goed bij zijn

hoofd was. Nog maar nauwelijks waren dergelijke gedachten door hem heen gegaan of Meneer Em overhandigde hem een kleine cheque met een niet terugvorderbaar voorschot op de provisie. Door die cheque herinnerde Evrard Zn. zich weer dat de klant, gek of niet, nog steeds koning was. En hij ging opnieuw op oorlogspad.

Veertien dagen later kwam hij bij meneer Em aan met drie dossiers van gegadigden. Drie vrijgezellen, meneer Em — twee mannen, en een vrouw. Aangezien hij niet precies wist waarnaar de voorkeur van zijn cliënt uitging, had hij maar van alles wat genomen. Meneer Em deelde hem mee dat hij het bijzonder op prijs zou stellen als ze, elk apart, de flat kwamen bezichtigen, te beginnen met de heren. Evrard Zn. slaakte een zucht van verlichting. Een fractie van een seconde overwoog hij Meneer Em te vragen hoe hij er zeker van kon zijn dat die vrijgezellen vrijgezel zouden blijven. Maar hij hield zich in. Hij zou toch evengoed niet zo stom zijn om de kip met de gouden eieren te slachten.

Het bezichtigen van het appartement van Meneer Em dat daarna volgde, was voor Evrard Zn., die toch wel het een en ander gewend was, de merkwaardigste episode uit zijn lange loopbaan. De koper bekeek de ruimte, de verkoper bekeek de koper, en Evrard Zn. vergat dat hij beroepshalve aanwezig was en bekeek de verkoper die de koper bekeek.

De eerste gegadigde, een zekere Christian Clair, was een jaar of dertig en zat goed in het pak, een grijs wandelkostuum, en oefende het grijze vak van advocaat uit. Hij stelde weinig belang in het appartement en besteedde maar weinig aandacht aan de algehele ligging van het object, het interieur en de staat van de parketvloer, leidingen en elektriciteit. Hij wilde daarentegen wel alles weten over belastingen, vaste lasten, draagmuren, het gebouw als geheel en de buren. Hij was ook zeer geïnteresseerd in Meneer Em en stelde hem allerlei vragen over het vak dat hij had uitgeoefend (zonder twijfel, dacht deze laatste, om de gezondheidsrisico's in te schatten waaraan hij wellicht door zijn beroep blootgesteld was geweest, iets in de trant van kolenmijnen of asbestmuren) en over zijn familie (zonder twijfel om het fijne te weten te komen over eventuele erfelijke belasting). Meneer Em zei bij zichzelf dat die Meneer Clair wel een investeerder zou zijn, en dat hij zonder enige twijfel het hele appartement zou veranderen zodra het vrijgekomen was, om het vervolgens door te verkopen of te verhuren.

Na Meneer Clair kwam er een chef-kok, François Becker geheten, om de flat te bezichtigen. Meneer Becker was een jaar of tien ouder dan Meneer Clair, en hij was even kleurrijk als Meneer Clair grijs was geweest. Op het eerste gezicht was Meneer Em onder de indruk van zijn verschijning en zijn elegantie. Bij zijn bezoek ging hij gekleed in een driedelig kostuum — van onberispelijke snit — met een grote roodbruin-witte pied-de-poule ruit, en daarbij een lichtroze overhemd met ronde boord en witte dubbele manchetten. Maar toen hij eens wat beter keek realiseerde hij zich dat François Becker niet werkelijk wat je noemt een elegant man was. De zakken met kleppen van zijn jasje met vierknoopssluiting — in plaats van de voorgeschreven twee- of drieknoops — waren schuin geknipt, de borstzak was eveneens voorzien van een zeer verrassende klep, het vest, waarover de ketting van een zakhorloge liep, had revers die ongeveer hetzelfde waren als die van het jasje, de knoopsgaten van de mouwen waren open — zodat Meneer Becker aan eenieder die het maar wilde zien, kon tonen dat zijn colbert maatwerk was. En zijn broek, die al smal was in de taille, liep vervolgens nog smaller toe en eindigde, zonder omslagen, op korte bruine rijlaarsjes. En vooral zijn dasknoop, die Meneer Em aanvankelijk voor een simpele knoop had aangezien, was alleen in schijn simpel. In werkelijkheid was het een zogeheten *strakke* knoop, à la Rudolph Valentino, waarbij het veel nauwer luistert. Nee, François Becker was beslist geen elegant man. Hij kleedde zich om gezien te worden, terwijl een elegant man zich juist kleedt om onopgemerkt te blijven. François Becker was een dandy, daar kwam het op neer. Een constatering die overigens werd bevestigd door het verdere verloop van de bezichtiging. In tegenstelling tot Meneer Clair interesseerde François Becker zich noch voor de belastingen noch voor de vaste lasten noch voor de naaste omgeving van het flatgebouw. En op zijn ronde door het appartement besteedde hij meer aandacht aan de meubels — met name aan de chippendale secretaire en het tweepersoonsbankje in Lodewijk xv-stijl —, de gordijnen en de tapijten dan aan de muren en het parket. Het leek wel of hij niet overwoog om een appartement te kopen, maar om het gemeubileerd te huren. Vooral de kleedkamer leek de eer te beurt te vallen zijn goedkeuring wel te kunnen wegdragen. Hij was zo fijngevoelig om niets te zeggen over de garderobe van Meneer Em — hoewel deze de indruk kreeg dat die hem wel beviel —, maar bleef bewonderend staan bij de grote kasten en de wandplanken van gevernist perenhout, deed zonder enige gêne de schoenenkist van beukenhout open, streek liefkozend langs de ladekast in Karel x-stijl, liet de gefineerde lamellen van de brede jaloezieën voor de afgesloten openslaande deur kantelen, en gaf zich over, en face, en profil en van achteren, aan het spel met de spiegels waarin hij zichzelf ten voeten uit kon zien. Meneer Em kreeg zelfs vaag het gevoel — maar helemaal zeker was hij er niet van — dat Meneer Becker discreet de geur van *Musc* opsnoof waarvan het vertrek was doortrokken. Al met al, en hoewel Meneer Em François Becker wel een tikkeltje een aansteller vond, zag hij heel wat meer in hem dan in de eerste gegadigde.

De derde aspirant-koper, Julie Laporte, was een jaar of veertig en werkte op een ministerie. Haar uiterlijk was streng, het strak naar achteren weggetrokken haar droeg ze opgestoken, en die dag was ze gekleed in een marineblauw mantelpak zonder tierlantijnen dat de hardheid die haar fijne, regelmatige trekken uitstraalden nog versterkte. Een carrièrevrouw. Ze droeg, wat nogal verrassend was, een vuurrode nagellak die vloekte met de rest van haar persoon en waardoor ze iemand anders werd. Een gespleten persoonlijkheid, wat imago betreft. In de platte schoenen van Julie Laporte, zei Meneer Em bij zichzelf, gingen vast goedverzorgde teentjes met zorgvuldig gelakte nageltjes schuil, en onder haar soldateske kostuum met de grootst mogelijke zorg gekozen lingerie. Een vrouw die haar kleren moest uitdoen om zich te geven. Een vrouw bij wie de grens tussen openbaar leven en privé-leven niet werd bepaald door tijdschema's maar door kledinglagen. Waarschijnlijk sliep ze met haar minister, dacht Meneer Em. Ook bedacht hij dat Julie Laporte wel een piepklein erfenisje gekregen zou hebben – of anders dat haar minister-minnaar haar een blijk van zijn liefde gaf –, en dat ze als vooruitziende vrouw op zoek was naar een veilig nestje voor haar oude dag.

Toen Meneer Em uiteindelijk vernam welk bod de drie gegadigden hadden gedaan, bleek dat van Julie Laporte tien procent royaler te zijn dan dat van Christian Clair en twintig procent hoger dan wat François Becker had geboden. In feite had Meneer Em al besloten dat de advocaat Clair zijn appartement niet zou krijgen. Hij aarzelde nog tussen de kok en de ambtenares van het ministerie.

Meneer Em mocht Becker wel, dat was het, en hij kon zich voorstellen dat deze zich, zonder al te veel overhoop te halen, in zijn appartement als een vis in het water zou voelen. En zijn dandy-kant vond hij wel leuk. Want uit de geleerde boeken over parfums en geuren die hij had gelezen, had Meneer Em geleerd dat de dandy's van ná 9 thermidor in het jaar 11 van de Revolutie bekendstonden als *muscadins*, en die klankovereenkomst met zijn *Musc* sprak hem wel aan. Bovendien was Meneer Becker chef-kok, en het was Meneer Em niet onbekend dat parfumerie en gastronomie nauw met elkaar samenhingen. Desondanks wist Meneer Em, die alle vooroordelen van zijn generatie bezat, niet goed wat hij van het aanstellerige gedrag van François Becker moest denken, en omdat hij meende dat dat wees op homoseksualiteit, vroeg hij zich bezorgd af hoe Beckers gezondheidstoestand was en wat zijn levensverwachting zou zijn.

Weliswaar is bij verkoop van onroerend goed met een lijfrenteclausule doorgaans de koper degene die geneigd is — vaak op cynische, soms op schandalige wijze — de verkoper te taxeren om op de gok vast te stellen hoe lang deze nog te leven heeft en zich in zijn hoofd snel een beeld te vormen van het financiële plaatje. Maar in dit geval maakte merkwaardig genoeg de verkoper zich zorgen over de levensverwachting van zijn koper. Tegen elke verwachting in wenste de verkoper in dit onderhavige geval de koper nog een lang leven toe.

Logica en statistieken pleitten in feite voor Julie Laporte. Het hart evenwel sprak zich uit ten gunste van François Becker. Meneer Em twijfelde nog een poosje, toen dacht hij bij zichzelf dat hij, nu hij immers elk element van onzekerheid uit zijn eigen leven had gebannen, in ruil daarvoor toch wel plaats mocht inruimen voor het onverwachte en onvoorziene in het leven van François Becker. Niettegenstaande het al met al toch aanzienlijke verschil in de door de drie gegadigden geboden bedragen, deelde Meneer Em dus aan de verbijsterde Evrard Zn. mee dat hij zijn flat aan de minstbiedende wenste te verkopen. Evrard Zn. had wel willen protesteren, maar daarvoor kreeg hij van Meneer Em de kans niet. De zaak was beklonken.

13

Pas toen de koopovereenkomst met Meneer Becker eenmaal was getekend, gaf Meneer Em het startschot voor de tweede fase van de strategie die hij had bepaald.

Die tweede fase liep via een beeldhouwer wiens naam voorkwam op een lijst – die Eve voor hem had opgesteld – met beeldhouwers van enige faam die op bestelling werkten. En het was niet toevallig dat onder alle namen op Eves lijst Meneer Ems er de enige met een Angelsaksische klank uit pikte, een Amerikaanse naam, hoopte hij. Want voor wat hij in zijn hoofd had meende hij bij een Amerikaan meer begrip te zullen aantreffen. Wat hij zowel bij Evelyn Waugh als bij Bret Harte had gelezen sterkte hem in ieder geval in die veronderstelling. Dus duimde hij maar dat John Ecclestone inderdaad een John Ecclestone was, en niet de aangenomen naam van een of andere Franse kunstenaar.

Toen de kwestie van het appartement eenmaal naar behoren was geregeld, belde Meneer Em dus Meneer John Ecclestone op, en het Angelsaksische accent van degene die hem te woord stond stelde hem onmiddellijk gerust. Meneer Ecclestone bevestigde trouwens tegenover Meneer Em dat hij wel degelijk Amerikaan was, en ze maakten meteen voor de volgende dag een afspraak in zijn atelier in het vijftiende arrondissement.

Het atelier van de beeldhouwer lag op de place du Commerce, aan een bestrate binnenplaats, en de sfeer die er heerste duidde niet zozeer op kunst en inspiratie als wel op gezwoeg en bouwvakarbeid, en dat beviel Meneer Em wel. Het uiterlijk van Meneer Ecclestone zelf, die even goed met brons als met marmer overweg leek te kunnen, was in overeenstemming met de plaats. En ook dat viel bij Meneer Em in goede aarde. Want voor wat hij in zijn hoofd had moest hij iemand hebben die met beide benen op de grond stond en niet met zijn hoofd in de wolken liep. En Meneer Em zei bij zichzelf dat hij met Meneer Ecclestone een gelukkige greep had gedaan. Hij wond er dus geen doekjes om en draaide niet om de hete brij heen zoals hij dat met een Franse kunstenaar zou hebben gedaan.

'Ik kom voor een bronzen beeld van mezelf ', zei hij tegen de beeldhouwer. 'Een bronzen beeld van mezelf in driedelig kostuum, als ik mijn hoed met mijn linkerhand voor mijn borst houd – op deze manier – en mijn paraplu in mijn rechter – zo.'

Misschien moest Meneer Ecclestone wel een beetje lachen, maar daarvan liet hij niets merken. Langdurig bestudeerde hij zijn bezoeker, die niet bijzonder groot was, daarna vroeg hij alleen of het hem geen beter idee leek als hij zijn trilby op zijn hoofd hield – daardoor, voegde hij eraan toe, zou het beeld wat hoger kunnen worden zonder dat de verhoudingen werden verstoord.

'De hoed op het hoofd zou niet echt een oplossing zijn', antwoordde Meneer Em. 'Want ziet u, eigenlijk gaan mijn gedachten niet uit naar een bronzen *standbeeld*.'

'Wat is dan precies uw bedoeling?' vroeg de beeldhouwer.

Meneer Em voelde de dringende behoefte zijn keel te schrapen. 'Als Amerikaan', zei hij ten slotte, 'zult u dat denk ik wel begrijpen…' En opnieuw viel er een stilte.

'Wat me eigenlijk voor ogen staat, Meneer Ecclestone,' zei hij toen, 'is een gisant.'

'Een *gisant*?' vroeg de beeldhouwer verbaasd.

Meneer Em wist niet precies of die verbazing voortkwam uit het feit dat de kunstenaar de betekenis van wat hij zojuist had gezegd uitstekend begrepen had, of dat de Amerikaan de betekenis van het woord *gisant* was ontgaan. Niettemin koos hij voor de laatste hypothese en zei nog eens: 'Ja, een gisant… Een grafbeeld dat in zekere zin als sarcofaag zou fungeren... Net zoals in de Middeleeuwen... Zoals bij de ridders...' Hij had nog net niet 'zoals bij de koningen' gezegd.

En toen de ander bleef zwijgen, voegde hij eraan toe: 'Ik dacht dat u als Amerikaan wel vertrouwd zou zijn met al dat soort begrafenisriten... Want aan de overkant van de Oceaan bestaat toch een hele industrie, als ik me niet vergis...'

'Vooral aan de Westkust', zei de beeldhouwer met een glimlach. 'En ik kom van de Oostkust. Uit New York. En mijn ouders zijn geboren in Midden-Europa... Maar ik begrijp volkomen wat u bedoelt, en het lijkt me een uitstekend idee. Een heel origineel idee. Ik ben wel bereid dat... eh, ligbeeld voor u te maken, als u me uw vertrouwen wilt schenken. Maar denkt u niet dat u er een beetje aan de vroege kant mee bent? U bent nog betrekkelijk jong, en u verkeert in blakende gezondheid, zou ik denken!'

'Inderdaad', gaf Meneer Em toe. 'Er is geen haast bij... Maar ik heb geen familie, en daarom wil ik maar liever zelf alles regelen en er een beetje bijtijds bij zijn. U begrijpt wel... Dan is dat tenminste gebeurd.'

Meneer Ecclestone begreep het volkomen.

'En waarom niet toch een standbeeld?' opperde hij vervolgens.

'Mijn wens gaat niet zozeer uit naar een monument', zei Meneer Em. 'Ik heb niet echt iets opmerkelijks tot stand gebracht in mijn leven,' liet hij erop volgen, en hij dacht aan zijn werk als spion dat zich in het verborgene had afgespeeld, 'en ik wil het er niet te dik op leggen... Nee, wat ik eigenlijk zou willen is een spoor van mijn aanwezigheid achterlaten... Ja, een spoor van mezelf. Iets blijvends, maar toch niet met te veel pretenties.'

Ook dat begreep Meneer Ecclestone volkomen. Hij deed geen poging zijn zin door te drijven.

'Hoeveel tijd zal daarmee gemoeid zijn?' vroeg Meneer Em.

'Rekent u maar op iets tussen de negen maanden en een jaar, dat zal ervan afhangen hoe eenvoudig of minder eenvoudig het... de ondergrond van natuursteen zal worden waarop het bronzen beeld komt te rusten.'

'Ik dacht meer aan een beeld dat gewoon op de grond zou liggen, op een simpele grafsteen.'

'Ach zo... In dat geval vormt de hoed een probleem... Als u wilt dat het beeld gewoon op de grond wordt geplaatst,' voegde hij eraan toe, het taalgebruik van zijn klant overnemend, 'zou de hoed die uitsteekt op de borst, de lijn en de harmonie van het geheel wel eens kunnen verstoren.'

Jammer, dacht Meneer Em, die wel graag zijn hoed bij

zich had gehad. Niettemin schikte hij zich in de mening van de kunstenaar, vanuit de overweging dat wat een elegant man siert best ontsierend kan zijn voor een gisant.

'Ik zou ook de plek moeten zien', zei Meneer Ecclestone. 'Welke plaats hebt u op het oog?'

'Montparnasse', zei Meneer Em, die het woord 'begraafplaats' wilde vermijden.

Net als Meneer Ecclestone, die bij nader inzien 'ondergrond' had gezegd toen hij eigenlijk 'graf ' bedoelde, was Meneer Em erop gesteld de technische toon van het gesprek niet te doorbreken.

'We zullen daarginds eens een kijkje gaan nemen wanneer dat u schikt', zei de beeldhouwer. 'Ik denk aan een beeltenis van anderhalf maal levensgroot. Een levensgroot beeld zou te iel worden, denk ik. Dat zou geen allure hebben. En tweemaal levensgroot zou *over the top* zijn, zoals ze bij ons zeggen. Een beetje té.'

'Zal ik moeten… poseren?' vroeg Meneer Em, met enige gêne.

'Als u dat niet al te vervelend vindt. Voor het model in klei werk ik het liefst met afdrukken. Vooral gezien de kleren en de paraplu. Rekent u maar op een twintigtal sessies van een of twee uur elk.'

'En… de prijs?'

De Amerikaan maakte in gedachten snel een berekening, waarbij hij het hoofd van rechts naar links en van links naar rechts bewoog. Bij deze berekening betrok hij zowel de materiaalkosten en de hoeveelheid tijd die het werk zou vereisen, als de faam die hij als kunstenaar genoot en het beeld dat hij zich van de middelen van zijn klant vormde. 'U moet rekenen op tussen de twee- en driehonderdduizend franc', zei hij ten slotte.

Meneer Em knikte ten teken dat hij in principe akkoord ging met deze ruwe kostenraming, stond op, gaf Meneer Ecclestone een hand en verliet het atelier van de kunstenaar, voldaan dat de tweede fase van zijn krijgsplan met succes in gang was gezet.

14

Meteen de dag na zijn bezoek aan Meneer Ecclestone begaf Meneer Em zich naar de rue Froidevaux en stapte over de drempel bij de begrafenisonderneming Zink, die hem was opgevallen toen hij enige tijd tevoren een verkenningstocht had ondernomen. Met deze stap zette hij de derde fase van zijn krijgsplan in werking.

'Kan ik u misschien helpen', vroeg de jongeman die hem ontving, op de zowel gedecideerde als ernstige en geruststellende toon waarop alle doodgravers zich richten tot hen die zich op een dag, ontredderd, bij hen vervoegen.

'Ik kom voor een begrafenis', antwoordde Meneer Em, waarmee hij degene die hij voor zich had in feite niets nieuws vertelde.

De doodgraver deed een tweede poging.

'Betreft het een naaste?' vroeg hij op dezelfde ernstige toon.

'Nee… Het is voor mezelf.'

De doodgraver ontspande zich zichtbaar en liet zijn ernstige toon varen. Kennelijk vroeg het regelen van de dood in de toekomst om een andere psychologische aanpak. 'U bent dus geïnteresseerd in ons Plan Uitvaartverzekering Providentia', zei hij.

Meneer Em, voor wie dit plan nieuw was, antwoordde niettemin dat dit inderdaad het geval was. Waarop de jongeman, zoals het een goed vakman betaamt, eerst probeerde zijn belangstelling te wekken voor een investering in onroerend goed. Een familiegraf, voor onbeperkte duur, meneer. Of anders voor een bepaalde tijd. Een laatste rustplaats naar keuze. In Parijs of ergens in de provincie. Want de firma Zink, meneer, heeft connecties in alle grote gemeentes evenals bij de hoge geestelijkheid.

Maar Meneer Em luisterde maar met een half oor. Zijn vader had ruim een halve eeuw geleden op Montparnasse twee graven naast elkaar gekocht, in de hoop dat zijn vrouw, die al heel snel bij hem was weggegaan, uiteindelijk zou terugkomen om aan zijn zijde te rusten. Omdat hij haar in de dood niet wilde opdringen waartoe hij haar tijdens zijn leven nooit had geforceerd, had hij in feite op zeer fijngevoelige wijze vastgelegd dat de indeling van de gescheiden slaapkamers waaraan ze zich tijdens hun korte gemeenschappelijke leven hadden gehouden, ook in het graf gehandhaafd moest blijven. Desondanks, in weerwil van deze zorgvuldigheid, had Meneer Ems moeder sinds ze uit de echtelijke woning was weggelopen nooit meer een teken van leven, of van dood, gegeven. Dus deelde Meneer Em de doodgraver mee dat hij op het gebied van onroerend goed al voorzien was.

'Dan bent u dus gekomen voor alles wat erbij komt.'

'Voor alles wat erbij komt, zoals u zegt. Het onroerend goed interesseert me niet zo, maar wel het roerend goed — het roerend goed en, zeg maar, de *verhuizing*.'

De doodgraver glimlachte beleefd bij deze kwinkslag van zijn klant. Vervolgens vouwde hij zijn folders een voor een open en nam ze met hem door, waarbij hij onderwijl uitleg gaf over de verschillende opties en kredietmogelijkheden die de firma te bieden had.

Meneer Em pikte er de twee duurste opties uit. Die zou hij thuis op zijn gemak lezen, verklaarde hij, waarna hij eraan toevoegde dat hij contant wenste te betalen, en dat hij alles graag zo snel mogelijk wilde afhandelen. Daardoor steeg hij in de achting van de doodgraver, die er zijn tegenvaller, qua onroerend goed, van daarnet door vergat. Dat was het moment dat Meneer Em uitkoos om de vraag te stellen die hem op de lippen brandde: 'Ik zie dat u ook balsemen in uw pakket hebt', zei hij. 'Zou het mogelijk zijn de... balsemer eens te spreken?'

De balsemer was in feite een balsem-ster, en helaas was ze op dat moment niet aanwezig aangezien ze maar in deeltijd werkte voor de firma Zink. Niettemin, zo deelde de jeugdige doodgraver Meneer Em mee, zou hij Juffrouw Jacqueline in de middag hier op kantoor kunnen treffen.

15

Toen Meneer Em in het begin van de middag terugging naar de doodgraver, parkeerde er voor de firma Zink — op een plek waar, weinig fijnzinnig, *laden en lossen* stond aangegeven — net een vette Volvo met achter het stuur iemand van even imposante afmetingen. Meneer Em had onmiddellijk door dat het Juffrouw Jacqueline moest zijn. Dat bleek wel uit die ziekenhuisachtige Volvo, meende hij. En hij had gelijk. Juffrouw Jacqueline was balsemster, maar zoals ze eruitzag, in haar ruimvallende jasschort, had ze net zo goed verpleegkundige, manicure, schoonheidsspecialiste of fysiotherapeute kunnen zijn; iets klinisch dus eigenlijk. Daar had ze trouwens ook het postuur voor, en de leeftijd, dat wil zeggen dat ze geen leeftijd had. En net zoals al haar soortgenotes had Juffrouw Jacqueline alleen een voornaam. En een titel die meer naar haar maatschappelijke status dan naar haar huwelijkse staat verwees.

Juffrouw Jacqueline werkte freelance, en wel voor drie Parijse begrafenisondernemers, op Montparnasse, op Passy en op Père-Lachaise. En aangezien het balsemen niet al haar tijd in beslag nam – Frankrijk lag nog steeds lichtjaren achter op andere landen zoals Amerika, zei ze spijtig – beoefende ze daarnaast ook het vak van masseuse. Immers, zo legde ze Meneer Em uit, die probeerde vast te stellen of ze nog naar formaldehyde rook maar niets anders kon ontdekken dan de houtige, kamferachtige geur van patchoeli, massage was voor doden even belangrijk als voor de levenden. Veel belangrijker. Want bij de levenden was er altijd een tweede kans, terwijl er bij de doden geen correctie meer mogelijk was en er dus niets verkeerd mocht gaan. Alles is een kwestie van timing, zei ze tegen Meneer Em, die vernam dat, anders dan wat doorgaans wordt gedacht, de *rigor mortis* niet blijvend is maar gewoon een samentrekking van de spieren die, mits op tijd behandeld, voordat de stijfheid voorgoed is ingetreden, gemasseerd kon worden zodat het weefsel weer verslapte. Het is helemaal niet nodig dat iemand die op gewelddadige wijze aan zijn eind is gekomen of die heeft geleden, zijn smartelijk masker behoudt als hij gestorven is, zei Juffrouw Jacqueline ook nog. Door massage van het gezicht, zodat de spieren zich ontspanden, en door daarna met behulp van wat make-up een beetje kleur aan te brengen, was Juffrouw Jacqueline in staat de dode een heel ander aanzien te geven. Eigenlijk hield Juffrouw Jacqueline zich in dezelfde mate met het buitenaanzicht van de overledenen bezig als met het balsemen. Want, zei ze ook nog tegen Meneer Em, wat had het voor zin goed geconserveerd te zijn als in de dood de stigmata van de laatste op deze aarde doorgebrachte smartelijke momenten zichtbaar bleven?

Meneer Em beaamde dit. En, nu ze het toch over balsemen hadden, hij wilde graag weten welke plaats parfums in deze speciale techniek innamen. Dat wist hij al, maar hij wilde het van Juffrouw Jacqueline zelf horen, en het deed hem buitengewoon veel genoegen te vernemen dat parfums voor haar van doorslaggevend belang waren. Ze bevestigde in feite wat hij bovendien al eens had gelezen, namelijk dat in de Middeleeuwen parfum 'balsum' – of ook wel 'balsame' – heette, een woord afgeleid van het Latijnse *balsamum*, wat weer ontleend is aan het Griekse *balsamon*.

Dit was zelfs meer informatie dan waar Meneer Em op zat te wachten. Maar de geleerde dame was nu op dreef, en niet meer te stoppen. De oude Egyptenaren, vervolgde ze, maakten bij het balsemen een overvloedig gebruik van aromatische stoffen, en gedurende een heel lange periode werden parfums en cosmetiek uitsluitend sacraal toegepast.

Later brachten de Grieken daar als eersten verandering in.

Meneer Em gaf zich voorgoed gewonnen. Hij was pre-Grieks. Hij was tijdloos. Door de dood van zijn parfum, *Musc*, was hij letterlijk verweesd achtergebleven. Maar hij wist nu dat hij door zijn eigen dood, en door zijn balseming, opnieuw en voor altijd omgeven zou zijn door een geur van muskus, en dat hij daardoor weer deel zou hebben aan de kosmische harmonie, waar hij nu buiten stond. En hij wist ook dat hij bij Juffrouw Jacqueline in goede handen zou zijn – zowel letterlijk als figuurlijk.

16

Maanden achtereen had Meneer Em geworsteld met het ogenschijnlijk onoplosbare probleem van het dagelijks gebruik van *Musc*, te berekenen op basis van een periode x die een paar uurtjes of twintig lange jaren kon duren. Tot op die bewuste ochtend waarop hij vanuit zijn slaapkamerraam naar de begraafplaats keek en zich realiseerde dat hij in deze rekensom met onzekere uitkomst weliswaar niet langer daadwerkelijk invloed kon uitoefenen op de benodigde hoeveelheid *Musc*, maar dat hij nog wel – en door een bewuste daad – invloed kon uitoefenen op de onbekende hoeveelheid tijd die hij nog te leven had en het zo kon inrichten dat deze in overeenstemming was met de voorraad *Musc* waarover hij beschikte. Daardoor elimineerde hij elk risico dat hij met onthoudingsverschijnselen en schaarste te kampen zou krijgen.

Zodra hij dit had vastgesteld, besefte hij dat hij voor het eerst sinds hij de brief van Meneer Bertoux van de Afdeling Klantenbinding had ontvangen, zijn lot weer in eigen hand

had genomen. Nu hoefde hij alleen nog een strategie te be-
denken. Vandaar zijn bezoekjes aan Evrard Zn., Meneer
John Ecclestone en aan de firma Zink, zijn keuze om zijn
flat aan Meneer Becker over te doen en zijn ontmoeting
met Juffrouw Jacqueline, evenals het bezoek dat hij vervolgens aan zijn advocaat bracht om het allemaal zo te regelen
dat ook de autoriteiten zich erin konden vinden.

Gezien de hoeveelheid *Musc* die hij voor Juffrouw Jacqueline apart moest zetten, en gezien ook de gelijke hoeveelheid die hij in reserve moest houden *voor het geval dat* — want
je wist maar nooit, dat bleek wel uit het lot van het Argentijnse pakketje —, overwoog Meneer Em bij zichzelf dat hij
nog een jaar of twee te leven had. En merkwaardig genoeg
drukte dat vooruitzicht hem niet terneer, maar gaf het
hem juist vleugels. Want degene die zegt: Ik heb twee jaar,
zegt ook: Ik heb nog twee jaar. En vandaar is de stap naar de
zekerheid dat hij *beslist* die twee jaar zal leven, snel gezet,
en dat deed Meneer Em dan ook. En die zekerheid gaf hem
meer zelfvertrouwen. Hij die had gevreesd dat hij zou afta-
kelen, langzaam maar zeker zou afglijden naar de dood, hij
wist nu dat voor hem de dood de abrupte sprong zou zijn
die kwaliteit zou bezitten zoals hij zich dat altijd had gewenst, en bovendien een sprong waarvoor hij zelf het tijdstip zou bepalen. De plotselinge dood die hij vaak had ge-

zien als een toevalligheid waarop zijn wil geen vat had, werd een bewuste daad waaruit bleek dat hij beschikte over de vrije wil van een mens die volop leefde en volop gezond was, zowel van lichaam als van geest. Door het tijdstip van zijn dood vast te stellen op de vooravond van het derde millennium, gaf hij bovendien te kennen dat hij tegelijk met zijn eeuw wenste te vertrekken aangezien hij dat niet kon doen samen met vrienden en dierbaren, want die had hij nooit gehad. Besluiten om over twee jaar te sterven en niet over een jaar, of over drie, of over vijf, bewees daarnaast dat tijd van nu af aan immaterieel was. De twee jaren die hij nog voor de boeg had zouden voor Meneer Em inderdaad buiten de tijd staan. En ook hijzelf zou buiten de tijd staan. Hij zou niet meer ouder worden, zijn haar zou niet meer uitvallen en niet meer wit worden, zijn gezicht zou geen rimpels meer krijgen, zijn rug zou niet krommer meer worden, zijn geurbeeld, versterkt door zijn vroegere dosis van vier milliliter *Musc*, zou voorgoed zijn visuele beeld overheersen, en hij zou niet langer materie zijn maar vooral damp. Want wat is een parfum uiteindelijk anders dan *fumus*, dat wil zeggen rook, dat wil zeggen damp?

Waarna Juffrouw Jacqueline haar intrede deed in de wereld van Meneer Em. Niet een intrede *post mortem*, in haar hoedanigheid van balsemdeskundige, maar juist nog tijdens het leven van Meneer Em, in haar hoedanigheid van masseuse. Want Meneer Em wenste dat Juffrouw Jacqueline, die na zijn dood met zijn lichaam zou moeten omgaan, het van nu af aan beter zou leren kennen zodat ze beter in staat was het recht te doen als de tijd daar was. Tweemaal in de week, wat neerkwam op elke maandag- en elke donderdagochtend, liet Meneer Em zich dus door Juffrouw Jacqueline masseren, bij hem thuis, en wel in zijn garderobe, waar hij een heuse verstelbare massagetafel had laten neerzetten, het equivalent in de wereld der levenden van de schuin aflopende marmeren tafel die hoorde bij de wereld der balsemers. Misschien wilde Meneer Em, door zich zo — en zo snel — op Juffrouw Jacqueline te verlaten, zonder zich daarvan bewust te zijn het verschil tussen zijn levende lichaam en zijn dode lichaam wegwerken. Het leek wel alsof hij vanaf het moment waarop hij had besloten een punt achter zijn leven te zetten, in de tijdspanne tussen dat besluit en de daad als zodanig, met één been in de dood stond en met het andere in het leven. Alsof hij al niet meer levend was en dus nooit werkelijk dood zou zijn.

17

Toch is het nog een hele stap, van het besluit dit leven te verlaten – een al met al theoretisch besluit – naar het in werkelijkheid overgaan tot de daad, en een stap die zich bepaald
niet gemakkelijk laat zetten. Verre van dat. Dat Meneer Em
weer wist waar hij aan toe was en zijn zielenrust had her-
vonden, kwam voort niet uit de daad op zichzelf, maar uit
het feit dat hij een besluit had genomen. En dus had Meneer
Em, nu hij weer rustig was geworden, het moment om over
te gaan tot de daad best kunnen uitstellen – een paar maanden, daarna een jaar, daarna twee jaar, en zo door –, terwijl
nu de dagen verstreken en de noodlottige eindstreep die hij
voor zichzelf had vastgesteld, steeds naderbij kwam. Maar
uitstellen deed hij niet.

Nadat hij had besloten zijn leven in een min of meer na-
bije toekomst te beëindigen, had Meneer Em aanvankelijk
zijn angst overstemd door gespreid uitgevoerde procedures
– de procedure van de verkoop van het appartement aan
Meneer Becker, de procedure van de poseersessies bij Me-

neer Ecclestone, de procedure van het regelen van de begrafenis met de firma Zink, de procedure van het testament met zijn advocaat. Vervolgens, want Meneer Em was evenzeer een man van besluiten als een man van procedures, verdeelde hij de tijd tussen beginbesluit en de uiteindelijke uitvoering daarvan in fasen door middel van een reeks kleine besluitjes die de potentiële daad reëel maakten voordat het moment daar was, en die hielpen deze in overeenstemming te brengen met het beginbesluit.

Zijn eerste besluit betrof de manier waarop hij te werk zou gaan. De mogelijkheid met behulp van een vuurwapen een einde aan zijn leven te maken, een bij uitstek viriele daad, sprak hem wel aan. Maar daarbij deed zich de moeilijkheid voor dat hij niet over een wapen beschikte. Sinds zijn vader de hand aan zichzelf had geslagen had zich in huize Em geen vuurwapen meer bevonden, en Armand Em zag werkelijk niet waar hij een revolver of een pistool vandaan zou moeten halen. Zeker, hij had zich een jachtgeweer kunnen aanschaffen. Maar nog afgezien van de administratieve rompslomp die een dergelijke aankoop met zich meebrengt, wist hij met absolute zekerheid dat de hagel ravages zou aanrichten die zelfs Juffrouw Jacqueline tot wanhoop zouden brengen.

Daarna dacht hij aan de mogelijkheid zich uit het raam te werpen, en in een moment van misplaatste sentimentaliteit — ongetwijfeld omdat hij terugdacht aan alle jaren die hij had besteed aan het bestuderen van de Sovjetrussische spoorwegen — overwoog hij zelfs even om voor een trein te springen (dat hij de traditie van de hoofdspoorlijnen zou veronachtzamen door zich voor een ordinair metrostel te werpen, kwam geen moment bij hem op). Maar in beide gevallen, als hij uit het raam zou springen én als hij de dood zou vinden op de rails, zou zich het probleem voordoen van de verminking en de onoverzienbare complicaties die daaruit voor Juffrouw Jacqueline zouden voortvloeien.

Ook de verdrinkingsdood overwoog hij. Maar hij vreesde dat zijn lichaam niet snel genoeg uit het water zou worden gehaald, en hij zag niet goed hoe Juffrouw Jacqueline een lichaam weer toonbaar zou kunnen maken dat lange tijd in de Seine had gelegen.

In feite, hoe meer hij erover nadacht, hoe meer hij tot de conclusie kwam dat slaapmiddelen het acceptabelst zouden zijn, in die zin dat bij zo'n dood zijn uiterlijk ongeschonden zou blijven. En toch, ondanks dit onmiskenbare voordeel kwam ook die methode voor Meneer Em niet in aanmerking. Niet zozeer omdat ze in zijn ogen een bij uitstek vrouwelijke was, maar vooral omdat hij beslist zowel inwendig als uitwendig coherent wilde blijven. O zeker, de pillen zouden hem aan de buitenkant intact laten, maar zijn inwendig chemisch evenwicht zou erdoor worden verstoord. Meneer Em wist niet zo precies in hoeverre zo'n verstoring van het chemisch evenwicht zijn geur zou beïnvloeden, maar na wat hij gelezen had over de mannetjeskakkerlakken, voelde hij er weinig voor dat risico te nemen. Dus besloot hij, want hij moest nu eenmaal iets besluiten, dat hij zijn leven zou beëindigen door verhanging.

Zeker, hij besefte dat een verhangene nu niet bepaald een bijzonder fraaie aanblik bood, maar hij rekende op Juffrouw Jacqueline om daar iets aan te doen. Dus hakte hij de knoop door: verhanging zou het worden. Maar waar? Bij hem thuis, natuurlijk. En in zijn kleedkamer, uiteraard. Daar waar zijn vader de hand aan zichzelf had geslagen. Daar waar hij angstvallig alle attributen voor zijn visuele beeld en voor zijn geurbeeld bewaarde. Daar waar hij zich door Juffrouw Jacqueline liet masseren. En waarmee? In geen geval met een touw. Te gewoontjes. Gezien het belang dat hij altijd aan zijn kleding had gehecht, spraken bretels hem wel aan. Maar dat was al eens gedaan. Dat had hij ergens gelezen. Met de ceintuur van zijn kamerjas dan. Maar een openhangende kamerjas zou niet netjes staan, en bovendien vreesde Meneer Em dat de ceintuur van zijn kamerjas de — halsbrekende toer niet zou overleven. Dus opteerde hij voor een das.

Vervolgens kwam het volgende punt aan de orde, het bepalen van de dag waarop hij zich zou verdoen. Omdat Juffrouw Jacqueline hem elke maandag en donderdag bezocht, bedacht Meneer Em dat hij, wanneer het moment daar zou zijn, zijn leven op een maandag- of donderdagochtend zou moeten beëindigen. Geen enkele andere dag zou in aanmerking komen. Want hij wenste niets aan het toeval over te laten. Het gesprek met Juffrouw Jacqueline over de *rigor mortis* had diepe indruk op hem gemaakt, en hij wist dus dat Juffrouw Jacqueline, wilde ze haar werk optimaal kunnen doen — te beginnen met het wegmasseren van de spiersamentrekkingen die na zijn dood zouden intreden —, meteen een uur later bij hem moest kunnen zijn. Dus zou het noodzakelijkerwijs een maandag of donderdag worden, de dagen waarop Juffrouw Jacqueline hem bezocht. Meneer Em had een lichte voorkeur voor de maandag. Want de donderdag lag te dicht bij het weekend, en hij wilde dat al degenen die zich met hem zouden moeten bezighouden, van Juffrouw Jacqueline tot Meneer Ecclestone met daartussenin de firma Zink, nog de hele week zouden hebben om zich zo goed mogelijk van hun taak te kwijten.

En wat het tijdstip betreft besloot hij dat dat zou moeten liggen tussen elf uur in de ochtend, het moment waarop Mevrouw Cécile zijn huis verliet met de vuilnisbak, en twaalf uur in de ochtend, het moment waarop Juffrouw Jacqueline zich bij hem vervoegde.

Welke maandagochtend tussen elf en twaalf uur het zou worden, in welke week en in welke maand, dat besluit zou uiteraard afhangen van de voorraad *Musc* die hem nog ter beschikking stond.

18

Zeker, de bewering dat Meneer Em in het laatste stukje van zijn leven leefde als een gelukkig man, zou onjuist zijn. Toch leefde hij in de tijd die hem nog restte als een sereen man. Afgezien van het dagelijks gebaar in de richting van de begraafplaats pakte hij zijn oude routine weer op. De ochtendgymnastiek, het minutieuze toiletmaken, het ingewikkelde aankleedritueel, de dagelijkse dosis *Musc*, de zorg voor de presentatie naar de buitenwereld toe, de paraplu, de hoed en het verleidingsspel van de onverbeterlijke ladykiller, het was allemaal terug. En zelfs Eve nam haar plaats weer in in het leven van Meneer Em, die zich een even vurig minnaar betoonde als vroeger.

En toen Meneer Em een twintigtal maanden later opnieuw aan de angst voor schaarste ten prooi raakte, toen het tot hem doordrong dat hij bijna door zijn voorraad *Musc* heen was, wist hij dat het moment naderde en dat, wilde hij de kluts en zijn sereniteit niet kwijtraken, het op een maandag van de lopende maand zou moeten gebeuren, of eventueel op een maandag van de volgende maand. Na het verstrijken van die datum zou Meneer Em opnieuw het stadium hebben bereikt waarin hij de milliliters moest tellen. En dat wilde hij nu juist vermijden.

O zeker, Meneer Em had het moment om tot de daad over te gaan kunnen uitstellen, zowel door af te wachten tot hij volledig door zijn voorraad heen was als door de *Musc* aan te spreken die hij voor Juffrouw Jacqueline apart had gezet, of door met zijn dagelijkse hoeveelheid te sjoemelen. Maar door zulk soort benepen berekeningen, dat wist hij, zou hij terugvallen in de onthoudingsverschijnselen waaraan hij alleen had weten te ontsnappen door te besluiten dat hij op een dag zijn leven zou beëindigen, en terecht. Uitstellen deed hij dus niet.

Na te hebben besloten dat het in een van de komende zes weken zou gebeuren, zette hij dus een nieuwe procedure in gang die zijn daad nog reëler maakte. Hij ging naar zijn advocaat in de cours Albert Ier en bracht enkele wijzigingen aan in zijn testament, waarin stond dat hij de hele inhoud van zijn appartement – niet alleen zijn meubels, maar ook zijn kleren – naliet aan François Becker, zijn lijfrenteverschaffer die op het oog dezelfde maat had als hij, vierhonderdduizend franc aan zijn werkster, Mevrouw Cécile, en de rest van zijn vermogen — dat wil zeggen drie miljoen in staatsobligaties en aandelen in een beleggingsmaatschappij — aan Juffrouw Jacqueline. Aan Eve liet Meneer Em helemaal niets na. Enerzijds omdat ze een persoonlijk vermogen bezat en anderzijds omdat, aangezien hun verhouding al die jaren geheim was gebleven, Meneer Em — waarschijnlijk terecht — veronderstelde dat een legaat voor haar een bron van echtelijke problemen geweest zou zijn.

Voor het besluit op welke van de drie of vier eerstkomende maandagen het uiteindelijk zou gebeuren, verliet Meneer Em zich op een teken des hemels. Hij was het nemen van besluiten moe.

19

Die zondag was het prachtig weer. Dus maakte Meneer Em een wandeling in het park Bagatelle, lunchte in Le Pré Catelan, en 's middags ging hij theedrinken in Le Chalet du Lac, aan de andere kant van de stad. 's Avonds betrok de lucht en volgens het weerbericht was er boven Frankrijk een depressie op komst en zou het de komende dagen overal in het bekken van Parijs uitzonderlijk regenachtig zijn. Dit was het teken des hemels waarop hij wachtte, zei Meneer Em bij zichzelf. Nadat hij een hele stralende lentezondag lang met fier geheven hoofd had rondgeslenterd, zijn paraplu heen en weer zwierend aan een kwieke pols, was hij toch zeker niet van plan zijn maandag met onelegant opgetrokken schouders in zijn pogingen de regendruppels te vermijden, buiten tussen de plassen door te springen. Nee, het zou geen geschikte dag zijn om zijn huis uit te gaan. En als het dan toch moest, dacht hij, waarom dan niet deze maandag?

Die nacht viel Meneer Em pas laat in een onrustige slaap. Onbewust lette hij op de regen. De volgende morgen werd hij laat wakker, alsof hij de fatale einddatum wilde uitstellen. Zeer tegen zijn gewoonte in stond hij niet meteen op maar bleef nog wat liggen, roerloos, met gespitste oren, trachtend een geluid van vallende regen op te vangen. Het was over tienen toen hij zich uiteindelijk losscheurde vanonder de lakens, en met nerveuze, aarzelende hand deed hij de luiken open, terwijl zijn hart ineenkromp van angst en hoop. De hemel was helemaal zoals het weerbericht van de vorige avond had voorspeld. Buitengewoon dreigend. Het regende dan misschien niet, maar het had geregend, en het zou niet lang duren of het zou weer gaan regenen.

Hij deed zijn dagelijkse gymnastische oefeningen, de blik strak gericht op de donkere wolken, en op dat moment was hij in gedachten niet zozeer bezig met de dood als wel met het onterende karwei dat hem wachtte. Maar Meneer Em, die een consequent man was, wist dat hij daardoorheen moest. Toen hij klaar was met zijn oefeningen ging hij dus naar zijn badkamer en kwam enkele minuten later terug met een teiltje water en een klisteerspuit die hij, met het oog op de dingen die komen gingen, had gekocht in een grote apotheek op de rechteroever, omdat hij het gênant vond zich zo bloot te geven tegenover de eigenaar van de apotheek in zijn wijk. Meneer Em was een schroomvallig man. Gegeneerd haalde hij de spuit uit de verpakking, deed de gordijnen dicht, trok vervolgens zijn pyjamabroek uit, ging op zijn rechterzij liggen en begon zich via zijn achterste met kleine, systematisch gedoseerde hoeveelheden ruim een liter lauw water toe te dienen, waarbij hij intussen met de klok mee over zijn maag en buik streek overeenkomstig de procedure die hij in het blad *Gezondheid* beschreven had gezien. Hij voelde schaamte. Maar hij wist dat verhanging en continentie slecht samengaan, en hij had zich vast voorgenomen dat zijn dood zo proper mogelijk zou zijn.

Toen deze onaangename taak eenmaal achter de rug was, ging hij zich scheren en vervolgens onder de douche, terwijl hij het water zijn werk liet doen in zijn ingewanden. Nadat hij zijn hoofd en ledematen krachtig had drooggewreven zoals hij altijd deed, boog hij zich voorover, licht overhellend naar links, en concentreerde zich nu op zijn onderbuik, die hij in tegenovergestelde richting masseerde, zoals het blad Gezondheid eveneens aanbeval. Het effect bleef niet uit, en Meneer Em voelde zich lichamelijk en geestelijk opgelucht.

Daarna, en nadat hij zich grondig had gewassen boven zijn bidet – Meneer Em was altijd al heel pietluttig geweest

waar het zijn hygiëne betrof en die ochtend was hij nog preciezer dan anders — en de nu nutteloze klisteerspuit in de
verpakking en vervolgens in de afvalmand had gedaan, begaf hij zich in ochtendjas naar zijn kleedkamer.

Daar aarzelde hij lang tussen een double-breasted marineblauw gestreept kamgaren pak en een antraciet flanel
driedelig dat te warm was voor het seizoen. Toch koos hij
voor het flanel omdat het driedelig wel iets had van een
pantser, meer dan het double-breasted, en omdat het deed
denken aan het ligbeeld dat bij Meneer Ecclestone lag te
wachten. Daarbij koos hij een wit overhemd en een witte
onderbroek, een *club tie* met fijne marineblauwe en rode
streepjes, bijpassende sokken en tot slot zijn favoriete zwarte molières.

Na zich op die manier te hebben gekleed en zijn toilet
met een tipje *Musc* te hebben gecompleteerd, ging Meneer
Em naar de zitkamer, bedankte voor de koffie die Mevrouw
Cécile hem aanbood — hij snakte naar een kop koffie, maar
voor geen geld zou hij zich een tweede keer aan het verne-
derende ritueel met de klisteerspuit hebben onderworpen
— en liet zijn werkster met rust zodat ze zijn vertrekken
aan kant kon maken en hem zou verlossen van dat onwel-
voeglijke ding.

Na op zijn nuchtere maag een sigaret te hebben gerookt, zette hij zich vervolgens aan zijn secretaire en begon te schrijven. Niet om een testament op te stellen, en al evenmin een brief om zijn daad toe te lichten. Nee, hij liet nauwkeurige instructies achter, zoals een heer van stand die zou achterlaten voor zijn huisbediende. Hij legde er omstandig in uit dat de kleren waarin hij begraven wenste te worden op de divan in zijn garderobe lagen, dat op de ladekast, eveneens in de garderobe, vier onaangebroken flacons *Musc* stonden en nog een vijfde die wel was aangebroken, en dat Juffrouw Jacqueline dat parfum voor zijn balseming moest gebruiken; dat voor het geval een van die flacons zou breken, er in de kelder, in schoenenzakjes van geel vilt op de grote zwarte hutkoffer, nog drie flacons met hetzelfde parfum stonden; dat zijn bronzen ligbeeld zich in het atelier van Meneer John Ecclestone op de place du Commerce bevond — deze onderhield trouwens contact met de marmerslijper die het beeld in de steen moest inpassen — en, tot slot, dat mr. Revel, zijn advocaat, cours Albert Ier, en de firma Zink, in de rue Froideveaux, over alle andere details beschikten betreffende zijn laatste bepalingen inzake nalatenschap en teraardebestelling. En dat was dan dat.

Toen hij klaar was met schrijven stak Meneer Em nog een sigaret op, en toen hij die had opgerookt maakte hij een exacte kopie van het memo, die hij in een van een postzegel voorziene en aan de firma Zink geadresseerde envelop deed. Het was nu bij elven, en Mevrouw Cécile, die klaar was met haar huishoudelijke taken, maakte aanstalten om het huis uit te gaan met de vuilnisemmer, en met de klisteerspuit uiteraard. Dus stelde Meneer Em haar de aan de firma Zink gerichte brief ter hand met het verzoek of ze die wilde posten, en daarna liet hij haar weggaan na haar nog een heel prettige dag te hebben gewenst.

Toen de deur van de dienstingang uiteindelijk achter Mevrouw Cécile dichtviel, werd Meneer Em overmeesterd door paniek. Heel even overwoog hij zelfs om zijn waanzinnige plan op te geven. Maar de brief voor Zink was al weg — de klisteerspuit trouwens ook —, en de paniek in hem maakte algauw plaats voor schaamte. Meneer Em was een trots man. Dus vermande hij zich en begaf zich nogmaals naar zijn kleedkamer, met zijn memo in de hand. Nadat hij dit duidelijk zichtbaar op de ladekast had gelegd, begon hij zijn kleren uit te trekken met dezelfde zorgvuldigheid als waarmee hij ze een halfuur daarvoor had aangetrokken, vervolgens deed hij zijn blauwzijden kamerjas aan en zijn, eveneens blauwe, fluwelen pantoffels. Zo gekleed hing hij zijn pak op het hangertje, deed zijn schoenen op de spanners, vouwde zijn overhemd, zijn onderbroek en zijn sokken op en legde alles, ook zijn das, keurig naast elkaar op de divan. Daarna deed hij een kast open en liet langzaam al zijn dassen de revue passeren. Ten slotte koos hij er twee uit die uit drie lappen zijde bestonden en die hij nooit droeg omdat als hij ze knoopte, de knoop veel te dik was voor zijn hals en zijn schouders. Een miskoop. Soms kocht hij wel eens iets verkeerds. Maar voor het doel waarvoor hij ze nu wilde gebruiken zouden ze uitstekend geschikt zijn, dacht hij. Ook bedacht Meneer Em, die niet van verspilling hield, dat François Becker, die dol was op kleine strak aangetrokken knopen, deze twee dassen beslist niet zou willen dragen. Na ze met een dubbele knoop aan elkaar te hebben gebonden trok hij er krachtig aan om zich ervan te vergewissen dat ze stevig genoeg waren, daarna wierp hij een keurende blik om hun lengte te schatten in verhouding tot de afstand tussen hemzelf en het plafond. Vervolgens schoof hij de massagetafel naar het midden van het vertrek, tot precies onder de haak waaraan vroeger een kroonluchter had gehangen die het schot dat zijn vader had gedood niet had overleefd.

Behoedzaam trok hij zijn pantoffels uit en klom op de tafel. Het laatste wat Meneer Em nu wilde was vallen en een been breken. Toen hij ten slotte zijn evenwicht had gevonden, deed hij het uiteinde van een das door de haak. Vervolgens maakte hij de das met een grote platte knoop vast aan de haak en bracht haar op de juiste lengte net zoals hij dat bij het aankleden zou hebben gedaan. Toen pakte hij het andere uiteinde en maakte een schuifknoop – zijn verblijf in het leger was dan tenminste niet voor niets geweest –, stak zijn hoofd door de lus en schoof de knoop een paar keer heen en weer om zich ervan te verzekeren dat alles soepel functioneerde.

Tevreden met zijn bevinding deed hij de das, die om zijn hals knelde, af, hurkte en ging vervolgens zitten op de tafel, nog steeds met de grootste omzichtigheid, en zette toen zijn voeten op het tapijt. Daarna deed hij zijn pantoffels weer aan en ging naar de hal. Daar pakte hij de sleutel van zijn flat, deed de voordeur open en legde de sleutel onder de mat. Nadat hij de deur achter zich had dichtgedaan en had gecontroleerd of hij deze niet zonder erbij na te denken had vergrendeld, belde hij vervolgens Juffrouw Jacqueline op haar mobiel – want Juffrouw Jacqueline, voor balsemen en massage, en altijd op pad, werkte op freelance basis en was buitengewoon mobiel dankzij haar automobiel en haar mobiel, beide van Zweeds fabrikaat –, om haar ervan op de hoogte te brengen dat hij waarschijnlijk onder de douche zou staan als ze kwam, en dat ze de sleutel onder de mat zou aantreffen. En aangezien het al vaker zo was gegaan — Meneer Em, die werkelijk niets aan het toeval overliet, had uiteraard het pad geëffend — vond Juffrouw Jacqueline, voor balsemen en massage, dit niet vreemd.

Op het horloge van Meneer Em was het nu elf uur negentien. Of misschien, Meneer Ems horloge kennende, was het eigenlijk elf uur achttien of elf uur twintig. Wat maakte het uit. Hij had de tijd.

Meneer Em liep naar de zitkamer, deed het raam open, ging zitten in een tamelijk lage Napoleon III-fauteuil vanwaar hij wel de bewolkte hemel maar niet de begraafplaats kon zien, en rookte langzaam zijn derde sigaret van die ochtend, terwijl hij met een half oor luisterde naar de geluiden van het leven. En toen zijn sigaret op was kwam hij overeind, trok het koord van zijn kamerjas strak aan alsof hij zo zijn lichaam overeind wilde houden dat hij plotseling slap voelde worden, en ging naar zijn kleedkamer om te doen wat hij besloten had te doen. Want Meneer Em was, zoals we gezien hebben, een standvastig man.

20

Het was klokslag twaalf uur toen Juffrouw Jacqueline uit
fijngevoeligheid toch aanbelde bij het appartement van Meneer Em voordat ze met de sleutel naar binnen ging. Toen
ze eenmaal in de hal stond maakte ze nog een beetje geluid
om op zijn minst te laten merken dat ze er was, maar van
de kant van de heer des huizes volgde geen enkele reactie.
In de gang luisterde ze scherp of ze misschien de geluiden
van water hoorde. Maar er heerste diepe stilte. Kennelijk
stond Meneer Em niet onder de douche. Waarschijnlijk
was de oude man weer in slaap gevallen, zei ze bij zichzelf
terwijl ze gedecideerd naar de kleedkamer liep om haar
spullen weg te leggen voordat ze hem wakker ging maken.
Het tafereel dat ze toen zag, in de omlijsting van de deur,
verraste haar, meer dan dat ze het als een schok ervoer. In
de spiegels waarvan er in het vertrek meerdere aanwezig
waren, zag ze niet één maar verscheidene Meneren Em,
die hingen te schommelen aan het plafond, in hun wijd uit-
lopende blauwe gewaden traag om hun eigen as tollend als

uit hun trance ontwakende dansende derwisjen.

Ze had niet veel tijd nodig om te beseffen dat de gehangene morsdood was. Zijn ogen waren rood en puilden uit hun kassen, zijn wangen zagen blauwer dan zijn gewaad en zijn opgezwollen tong hing uit zijn mond. Het eerste wat ze deed was de massagetafel weer overeind zetten die Meneer Em had omgeschopt. Daarna schoof ze het Perzische tapijt opzij dat hij, ondanks al zijn voorzorgen en de vernedering van de klisteerspuit waaraan hij zich had onderworpen, ten gevolge van zijn daad enigszins had bevuild. Vervolgens ging ze naar de badkamer en kwam terug met een schaar. Gewapend met de schaar klom ze op de tafel, met een voor iemand van haar gewicht verrassend gemak, knipte de das door waaraan Meneer Em bengelde en ving hem op op haar schouder, waarbij ze hem voorzichtig om zijn middel vasthield.

Zijn lichaam was nog soepel, zoals Juffrouw Jacqueline met vreugde vaststelde. Nadat ze hem op de tafel had neergelegd, trok ze hem zijn kamerjas uit, maakte de das los die om zijn hals knelde en ging onmiddellijk aan het werk. Ze was gekomen om haar cliënt te masseren, en masseren zou ze hem, levend of niet.

Dus begon ze krachtig het hoofd, het gezicht en de hals van de dode te wrijven, en beetje bij beetje zonken de ogen

van de gehangene, hoewel nog steeds rooddoorlopen, terug op hun natuurlijke plaats in de kassen, het teveel aan
bloed trok weg uit zijn wangen en zelfs de tong kreeg gedeeltelijk haar soepelheid terug zodat Juffrouw Jacqueline
haar in de mondholte kon terugduwen. Met de hals evenwel
had haar werk minder succes. Zeker, door het masseren
stroomde het bloed uit het bovenste gedeelte weg en ver-
spreidde zich weer door de rest van het lichaam, maar een
diepe, blauwige afdruk bleef zichtbaar op de plaats waar de
das met kracht in het vlees had gesneden. Maar daar maakte
Juffrouw Jacqueline zich niet al te druk om: een hooggeslo-
ten overhemdboord zou die plek volledig camoufleren.

Nadat ze de bloedstuwing ongedaan had gemaakt en Meneer Ems gezicht weer een menselijk aanzien had gegeven,
zette Juffrouw Jacqueline zich vervolgens aan de taak om de
ledematen van de dode te masseren. Immers, als er niet op
tijd werd ingegrepen om de samentrekking van de spieren
te laten verslappen, zouden die zich verharden zoals cement
zich verhardt. En terwijl ze zich plichtsgetrouw van die
taak kweet, zei ze bij zichzelf dat die Meneer Em echt een
keurige man was. Geen moment dacht ze aan de redenen
die hem ertoe hadden kunnen bewegen zijn leven op deze
wijze te beëindigen. Maar ze was hem erkentelijk voor zijn
properheid en netheid – waarvan de al met al onbedui-

dende vlekken op het zijden tapijt het bewijs waren −, en voor het feit dat hij alles zo goed als maar mogelijk was had geregeld, en wel zo dat haar werk erdoor werd vergemakkelijkt. Een man die vooruitzag, maar ook een hoffelijk man. Hij had zich het leven benomen kort voordat zij ter plekke zou zijn, wat betekende, en daar ging het om, dat de *rigor mortis* nog niet was ingetreden. Maar bovendien had hij, omdat hij voor verhanging had gekozen, zichzelf gereinigd en daarmee haar taak verlicht. En, niet in de laatste plaats, toen hij zich had verhangen was hij naakt onder zijn kamerjas, zodat hij zich direct en zonder verweer aan haar had uitgeleverd. De mensen hadden geen idee hoe zwaar het soms was om een lijk van zijn kleren te ontdoen.

Ja, overdacht Juffrouw Jacqueline terwijl ze, met tedere gebaren nu, het levenloze lichaam masseerde, die Meneer Em was echt een heer. En ze nam zich voor hem het beste van zichzelf te geven.